D0655615

GigaGertien

2

Giga Gertie

Silvia van de Put
met illustraties van Loes Riphagen

Wie niet groot is, moet een opa hebben

Silvia van de Put
GigaGertie. Wie niet groot is, moet een opa hebben.

Illustraties: Loes Riphagen
Omslagontwerp: Studio Clavis
Trefw.: vriendschap, anders-zijn, school, familie
NUR 282
ISBN 978 90 448 1512 2
D/2011/4124/018

www.clavisbooks.com
www.gigagertie.com

Inhoudsopgave

1 Het einde van de zomervakantie

De laatste maandag van de zomervakantie is Gertie vroeg wakker.

'Alwéér vroeg wakker,' zal haar moeder even later zeggen.

'Ik kan gewoon niet goed uitslapen. Ik ben goed in andere dingen,' zegt Gertie hardop tegen zichzelf.

Buiten regent het. Al de hele zomervakantie is het regenachtig en fris. Het lijkt wel de herfstvakantie.

Beneden hoort Gertie haar ouders. Die moeten allebei aan het werk vandaag. Frieda, haar grote zus, ligt vast nog te slapen. Die kan héél goed uitslapen tegenwoordig. Gek is dat. Gertie is altijd te vroeg wakker en Frieda ligt altijd veel te lang in bed. Wat is dan wel een goed tijdstip om op te staan?

Het nieuwe schooljaar staat op het punt te beginnen. Gertie heeft er zin in en tegelijkertijd ook weer niet. Zes weken vakantie vindt ze wel genoeg, zeker met al die regen, en ze is heel nieuwsgierig naar wat er dit schooljaar allemaal te beleven valt. Maar ja, een nieuw schooljaar betekent ook veel veranderingen: een ander leslokaal, een andere juf. Een meester zelfs. Gertie heeft nog nooit een meester gehad. Maar vlak voor de zomervakantie is hij zich komen voorstellen: meester Jean-Pierre.

'Waarom heeft iemand nou twee namen?' had Gertie gevraagd.

En meester Jean-Pierre had geantwoord: 'Omdat ik voor twee tel.'

Nou, daar kon ze het dan mee doen.

Interessantdoenerij: Gertie houdt er niet van.

En ze houdt ook niet van veranderingen.

Vanuit haar bed zet ze op de kalender een kruisje door gisteren. Nog maar negentien nachtjes totdat ze jarig is.

Dan word ik eindelijk zes, denkt ze. Het zou eens tijd worden. Een kind van vijf in groep vijf, dat kan echt niet.

Het is inderdaad heel bijzonder: Gertie heeft maar liefst twee klassen overgeslagen. Rechtstreeks van de kleuters kwam ze na de kerstvakantie binnenlopen in groep vier. En dat was even wennen. Voor Gertie, maar ook voor haar nieuwe klasgenoten.

De meeste kinderen bij Gertie in de klas worden dit schooljaar al negen.

Gertie heeft het nooit zo'n probleem gevonden dat ze klein is. Maar nu ze in de klas zit met allemaal oudere en grotere kinderen, valt het wel heel erg op en vindt ze het toch wel eens vervelend.

Frieda gaat naar de middelbare. Voor haar verandert er pas echt veel.

'Jullie beginnen allemaal helemaal opnieuw. Voor iedereen voelt dat een beetje vreemd, maar je maakt vast snel nieuwe vrienden,' probeert haar moeder Frieda op te beuren.

'Mama, ik wil geen nieuwe vrienden, ik wil mijn oude vrienden!' Frieda is het er duidelijk niet mee eens.

Gertie begrijpt haar grote zus heel goed. We lijken toch wel een beetje op elkaar, denkt ze.

Toch kan ze het niet laten om Frieda te plagen: 'Misschien vind je wel een nieuw vriendje?'

In groep acht was Frank nog Frieda's vriendje, maar in de zomervakantie hebben ze het uitgemaakt.

'We pasten toch niet zo goed bij elkaar,' snikte Frieda toen ze bij Gertie kwam uithuilen, 'het is beter zo.'

'Waarom huil je dan?'

'Omdat ik het zo verschrihihihihikkelijk vind!' Waarop Frieda voluit begon te snikken.

'Waarom heb je het dan uitgemaakt, als je het zo verschrihihihihikkelijk vindt?'

Gertie kreeg geen antwoord, maar de woedende blik van Frieda was overduidelijk: tijd om op te houden.

'Liefdesverdriet,' mompelde Gertie diezelfde avond tegen haar knuffel Kuusj, 'je zal het maar hebben. Gelukkig ben ik daar nog veel te jong voor.'

De ouders van Gertie, Mar van Dijk en Luc Bemelmans, zeggen steeds dat ze snel zal wennen aan haar nieuwe meester. Dat ze hem gewoon een kans moet geven. En misschien overdrijft ze ook wel een beetje: voor Frieda staan er pas echt veranderingen op stapel. Naar de middelbare, hoe zou dat zijn? Gertie probeert zich er iets bij voor te stellen: een nieuwe school, nieuwe kinderen in de klas, allemaal nieuwe vakken en allemaal verschillende leerkrachten in plaats van één vaste.

'Niks voor mij,' besluit Gertie. 'Laat mij nog maar even klein zijn.'

Meteen daarna springt ze uit bed: honger!

Even later zitten Gertie en Kuusj naast elkaar op de bank. Gertie eet een boterham. Dan ziet ze haar buurman Huupie langslopen. Officieel heet hij natuurlijk gewoon Huup, maar iedereen noemt hem altijd Huupie, omdat hij niet erg groot is.

Gertie klopt op het raam en roept: 'Huupie!'

Maar Huupie reageert niet. Gertie klopt nog eens tegen het raam. Of beter gezegd: ze bonst en ze gilt zo hard als ze kan.

'Huupie! Huuuuuuuuup …'

Maar buurman Huupie kijkt niet op of om. Hij hoort haar echt niet.

'Mam, hoe kan dat nou?' Verbijsterd draait Gertie zich om naar Mar, die achter haar is komen staan. 'Is hij doof of zo?'

'Huupie wordt gewoon oud, liefje. En dan krijg je gebreken.'

Gertie kijkt haar moeder geschrokken aan. 'Oud? Gebreken? Is hij ziek dan? Maar kan hij dan nog wel op ons passen? En hoe moet dat dan als jullie moeten werken? Dan moet ik misschien wel naar de buitenschoolse opvang, en dat wil ik niet, ik wil hier thuis op mijn kamertje mijn dingen doen, en niet in een groepje knutselen, want ik hou niet van groepjes. En Frieda dan, hoe moet dat? Die is te oud voor de opvang, want die gaat al naar de middelbare. Jéétje, mam, we hebben echt een probleem!'

'Jéétje, Gertie, wat draaf je weer door. Voor vandaag hebben we in elk geval geen probleem,' zegt Mar en ze wijst naar de achterdeur.

'Goedemorgen, mooie buurvrouwen, hier is jullie favoriete oppas!' Vrolijk stapt Huupie over de drempel.

Gertie snapt er niks meer van. Zojuist leek Huupie nog een oud, zielig en doof mannetje dat haar niet kon horen, en nu staat hij breeduit lachend in de keuken grapjes te maken.

'Heb je me niet horen kloppen en roepen? Ik stond voor het raam naar je te zwaaien,' zegt Gertie.

'O, was jij dat?' probeert Huupie zich er met een grapje van af te maken. 'Ik heb mijn vrouw Trudie – God hebbe haar ziel – beloofd om nooit naar andere zwaaiende vrouwen te kijken.'

'Laat je niks wijsmaken, Gertie,' zegt Mar. 'Ik denk dat Huupie vanochtend zijn hoorapparaat nog niet aan had staan.'

Huupie knikt. 'Alweer een geheim onthuld,' zegt hij.

'Heb jij een hoorapparaat?' Gertie zet grote ogen op. Daar weet ze helemaal niks van. 'Waar zit dat dan?'

'In mijn neus,' antwoordt Huupie heel serieus.

Gertie bukt zich om in de neusgaten van Huupie te kijken. 'Wauw, kan dat ook al? Laat me eens kijken. Ik zie ze niet eens. Maar ja, jouw neusgaten zijn ook wel erg groot. Doe jij aan neuspeuteren? Hoe groot is een hoorapparaat? En waarom heb je dat niet aangezet toen je vanmorgen opstond?' Het vragenuurtje van Gertie is weer begonnen. 'Als je niks vraagt, kom je ook niks te weten,' zegt Gertie altijd.

Huupie is niet erg goed in het verbergen van binnenpretjes. Zijn ogen beginnen dan spontaan te blinken, weet Gertie. Daarom heeft Huupie zich omgedraaid. Zogenaamd om goedendag te zeggen tegen Mar, die op het punt staat om te vertrekken.

'Je blijft toch zeker eten vanavond, Huupie?' vraagt Mar terwijl ze Huupie stiekem een knipoogje geeft. En zonder het antwoord af te wachten: 'Schillen jullie dan straks de aardappelen?'

'Mag ik eerst even een kop koffie, Gertie? Voordat ik al je vragen ga beantwoorden?' Huupie is al onderweg naar het koffiezetapparaat.

'Tuurlijk, ik ook.'

'Jij ook wat?'

'Koffie!'

'Koffie? Jij bent toch veel te klein voor koffie, ukkie.'

'Echt niet!' reageert Gertie verontwaardigd. 'Ik drink al koffie sinds ik een baby was. Wel kindertjeskoffie, hè: beetje koffie, veel warme melk die je even opklopt.'

'Dat is grappig,' grinnikt Huupie. 'Ik noem dat geen kindertjeskoffie, maar oudemensenkoffie. Zo drink ik 'm namelijk ook het liefst.'

Dan moet Huupie even nadenken. 'Wel gek,' zegt hij, 'kindertjeskoffie en oudemensenkoffie zijn hetzelfde, maar kinderen en oude mensen zijn toch heel anders?'

'Echt niet, Huupie!' Gertie is het helemaal niet met hem eens. 'Kinderen en oude mensen lijken juist heel erg op elkaar.' En Gertie begint op te sommen: 'Baby's hebben geen tanden, oude mensen hebben vaak geen tanden meer. Kleine kinderen en oude mensen kunnen niet of moeilijk lopen én ze moeten allebei verzorgd worden. Meestal tenminste.'

Huupie knikt. 'Daar heb jij goed over nagedacht, meisje. Je zou wel eens gelijk kunnen hebben,' zegt hij tegen Gertie.

Gertie kijkt naar haar buurman. 'Wel boffen dat jij naast ons woont.'

'Zeker weten!' Huupie knikt en geeft Gertie een aai over haar bol. 'Is die koffie nu nog niet klaar?'

'De oudekindertjeskoffie, bedoel je?'

'Die bedoel ik!'

Het blijft een beetje een suffe dag. Gertie had eigenlijk haar boompaalhut – een hut op palen, omdat ze geen bomen in de tuin hebben – eens goed willen opruimen en poetsen, maar het komt er niet van. Frieda komt pas om elf uur uit haar bed gekropen.

Als Luc 's avonds thuiskomt, liggen en hangen zijn kinderen samen met Huupie op de bank voor de televisie. 'Wat zijn jullie vreselijk luie mormels!' roept hij. 'Dat hangt hier allemaal maar in pyjama op de bank. Hebben jullie de hele dag genikst? Naar buiten jullie: spelen.'

De meisjes protesteren.

'Genikst?' roept Frieda. 'Pap, we hebben gekaart, spelletjes gedaan, naar een film gekeken. En trouwens, wij hebben nog vakantie.'

'... en Huupie heeft een dutje gedaan,' klikt Gertie.

'Aha, ben je zo moe dan?' vraagt Luc aan Huupie.

Huupie knikt. 'Ik word oud, geloof ik. Maar wat een vies weer vandaag, hè? En dat voor augustus,' gooit hij het over een andere boeg.

Luc knikt. 'Inderdaad. Daar stuur je nog geen hond in naar buiten.'

'Huh? En jij wilt wel twee zielige kindertjes en een oud, doof mannetje met een hoorapparaat in zijn neus naar buiten sturen ...' roept Gertie uit.

'Wat zeg jij nou?' roept Frieda. 'Een hoorapparaat in zijn neus? Mens, dat kan toch helemaal niet!'

'Wel waar!' reageert Gertie verontwaardigd. 'Huupie heeft het me zelf verteld vanmorgen, toen jij nog lag te slapen.'

Huupie en Luc bulderen van het lachen.

Frieda lacht vrolijk mee als ze hoort dat Huupie Gertie voor de gek heeft gehouden. Maar Gertie vindt het helemaal niet leuk.

'Ja, lachen jullie maar. Het zou toch zomaar kunnen? De techniek staat voor niks. We gaan straks met z'n allen op vakantie naar de maan. Wie zegt dat ze dan niks nieuws hebben uitgevonden voor mensen die niet goed meer horen en in hun neus peuteren? En dan nog wat, Huupie, waarom doe jij je hoorapparaat niet aan 's ochtends?'

Huupie grinnikt. 'Liefje, ik woon helemaal alleen. Er is niemand om naar te luisteren, dus waarom zou ik dan de batterij verspillen? Ik zet het ding pas aan als ik onder de mensen kom. Maar er zijn dagen dat ik geen mens zie.'

Gertie knikt bedachtzaam. Huupie voelt zich vaak eenzaam, dat weet ze. En dan ook nog dovig ... Tjonge, tjonge, bedenkt Gertie. Maar ... 'Maar, Huupie, hoe hoor je dan de wekker?'

2 De eerste dag in groep vijf

De eerste klasgenoot die Gertie op de eerste schooldag ziet, is haar buurjongen Sven.

'*Hi*,' zoeft hij langs. Sinds de buren op vakantie zijn geweest in Amerika, praat Sven de hele tijd stoer Engels.

'Haai en goetbaai,' roept Gertie hem nog na. Maar dat hoort hij al niet meer.

Gertie moet lachen. 'Dag en tot ziens. Zo zie je Sven, zo zie je Sven niet meer. Hij kan heel snel rennen, weet je dat?' vraagt ze aan haar moeder.

'Sneller dan Frieda?'

'Ha, dat zou hij wel willen,' grinnikt Gertie. Frieda is supergoed in atletiek en ze kan dan ook heel hard rennen. Daar kan die Sven echt niet tegenop.

'Het is weer lekker druk op het schoolplein,' zegt Mar. 'Wat produceren die kinderen een enorm kakelkabaal!'

'Niet alleen de kinderen, hoor,' wijst Gertie verontwaardigd naar een groepje moeders, dat elkaar uitbundig begroet.

'Ga je niet naar je klasgenootjes?' vraagt Mar.

Gertie schudt haar hoofd. 'Die zie ik straks al de hele dag,' antwoordt ze stilletjes. Gertie blijft bij Mar staan en kijkt nieuwsgierig het schoolplein rond.

'Wil je echt niet naar je vriendinnen toe?' vraagt Mar. Ze wijst naar Eva en Claire, die druk vertellend bij de andere meisjes van groep vijf staan.

'Dat zijn mijn vriendinnen niet, mam. Ik heb ze de hele vakantie niet gezien.'

'Nee, omdat wij op vakantie gingen vlak voordat zij terugkwamen.'

'Misschien, maar misschien zijn ze ook wel gewoon minder goede vriendinnen dan ik dacht. Ze hebben niet eens een kaartje gestuurd of even gebeld of zo ...'

'En jij wel dan?'

Gertie laat zich niet van haar stuk brengen. 'Zij gingen eerst op vakantie.'

'En dus ...'

'En dus moeten zij beginnen met kaarten sturen en zo.'

'En omdat zij dat niet gedaan hebben, heb jij ook geen kaartje gestuurd?'

Gertie knikt.

'Dus na het niet sturen van een vakantiekaartje houdt een beginnende vriendschap op met bestaan?'

Gertie knikt nogmaals. 'Zo gaat dat nu eenmaal, mam.'

'Echt niet, Gertie ...' Maar voordat Mar haar kan uitleggen dat een beetje vriendschap 'een geen-kaart-gestuurde-vakantie' echt wel zal overleven, gaat de bel.

Gered door de bel. Gertie voelt heel goed aan wat haar moeder haar had willen vertellen.

Meester Jean-Pierre is zo'n beetje het tegenovergestelde van juf Suzanne uit groep vier. Niks vriendelijk, helemaal niet gezellig, totaal ongrappig. Hij laat zijn groep tot het laatst wachten op de speelplaats en geeft dan pas de instructies.

'We lopen zo meteen heel rustig naar ons nieuwe klaslokaal.'

Steijn onderbreekt hem: 'Meester, meester, is dat ook uw nieuwe klaslokaal?'

'Steijn, Steijn, ík ben aan het woord en als ik aan het woord ben, wens ik niet onderbroken te worden. Ben ik duidelijk?'

Hij kijkt Steijn streng aan. Steijn krijgt een knalrood hoofd.

'Je zet je tas neer onder de kapstok en je stopt je jas in de luizenzak.'

Er klinkt geroezemoes.

'Nee, dat is niet alleen voor kleuters,' zegt meester Jean-Pierre streng. Het is onmiddellijk stil. 'En ja, dat geldt dus ook nog voor groep vijf. Wie zijn jas niet in de luizenzak opbergt, komt mijn klaslokaal niet in. Ben ik duidelijk?'

Dat gaat nooit lukken, denkt Gertie en ze houdt Steijn en zijn groepje in de gaten. Maar wonder boven wonder gaat het allemaal heel rustig. Meester Jean-Pierre is blijkbaar heel duidelijk geweest.

In de klas staan de tafeltjes in strakke rijen. Gertie schrikt ervan. Ze mogen dus niet meer in groepjes zitten. Op de tafeltjes liggen naamkaartjes.

'Zoek je eigen plek en als je die gevonden hebt, ga je rustig zitten. Nog steeds met je mond dicht. Ben ik duidelijk?'

Gertie vindt haar plekje heel gemakkelijk: ze zoekt gewoon naar het kleinste tafeltje. Dát is dus niet veranderd in groep vijf. Sven komt naast haar zitten.

'Nu zijn we alweer buren,' fluistert Gertie heel stilletjes tegen Sven als hij naast haar komt zitten. Die vindt dat zo grappig dat hij hard begint te lachen. Wat hem onmiddellijk een boze blik mét commentaar van de meester oplevert: 'Was ik niet duidelijk?'

Gertie en Sven lopen na schooltijd samen naar huis.

'Het is een vreemde man,' zegt Gertie tegen Sven.

'Een heel vreemde man,' antwoordt Sven.

'Saai ook nog eens.'

'Ook nog eens saai.'

'En streng.'

'Heel erg streng.'

Even is het stil. Dan proesten ze het allebei uit.

'Hallo, sinds wanneer ben jij een papegaai? Je zegt alles na wat ik zeg!' Gertie protesteert hevig.

Sven moet lachen: 'Mijn vader gaf me laatst een goede tip: als vrouwen iets zeggen, moet je hun altijd gelijk geven.'

'Wat een onzin! Waarom dan?'

'Dan krijg je tenminste geen ruzie.'

'Nou, als jij zo doorgaat, krijg je echt wel ruzie. Zeg zelf eens wat je van die meester vindt.'

'Ik ben het helemaal met jou eens ...'

Gertie stompt hem in zijn zij.

'Au!' roept Sven vreselijk dramatisch, waarna hij begint te grinniken en doet alsof hij smeekt. 'Genade! Ik zal het nooit meer doen. Oké, oké, meester Jean-Pierre vind ik vreselijk ... ordinair. Dat rijmt,' voegt hij er nog triomfantelijk aan toe.

'Het rijmt wel, maar het slaat nergens op,' lacht Gertie.

Als Gertie thuiskomt, begint ze meteen honderduit te vertellen tegen Mar en Frieda.

'Je klinkt best enthousiast,' zeggen die tegelijk.

'Mwah, het is wel lekker rustig zo in de klas, maar ik denk niet dat dat lang duurt.'

‘Dat duurt ook niet lang,’ weet Frieda uit ervaring. ‘Hij blijft wel streng, maar hij is zo vreselijk duf en suf. Daar moet je wel tegen in opstand komen, anders val je over een paar weken in slaap en word je de rest van het jaar niet meer wakker.’

'Ik zit naast Sven en die noemt meester Jean-Pierre Ordinair,' grinnikt Gertie, om vervolgens een treffende demonstratie te geven van meester Jean-Pierres favoriete uitspraak: 'Ben ik duidelijk?'

'Zegt hij dat nog steeds?' lacht Frieda. 'We hebben dat een tijdje zitten turven in de klas, en we kregen gewoon de slappe lach als er weer eens een streepje bij kwam.'

Gertie neemt zich voor om die tip goed te onthouden. Die zou nog wel eens van pas kunnen komen.

Maar nu heeft Gertie voor grapjes geen tijd. Ze heeft nog heel wat op de planning staan. Zoals het reisje naar de Efteling, bijvoorbeeld. Vorig schooljaar heeft ze een verhaal geschreven voor een wedstrijd van de kinderboekwinkel. Als beloning kreeg ze twee prijzen. De eerste prijs heeft ze thuis in de boekenkast staan: haar verhaal *Ik heb een opa in Spanje en die komt* in boekvorm. Maar Gertie is vooral enthousiast over de tweede prijs. Volgende week vrijdag gaat het gebeuren: ze mag de hele klas meenemen naar de Efteling!

Gertie kan zich de dag nog goed herinneren dat de mevrouw van de kinderboekwinkel in de klas kwam vertellen dat zij gewonnen had. Trots was ze. Trots is ze nog steeds. Eindelijk had ze het gevoel dat ze erbij hoorde in groep vier. Toen ze rond de kerst rechtstreeks van de kleuters overstapte naar groep vier, moest ze erg wennen: een nieuwe klas, een nieuwe juf, nieuwe en veel grotere en oudere kinderen ... Ze heeft zich in die tijd wel eens heel klein gevoeld. Tot op die dag vlak voor de zomervakantie. Toen ging ze op de schouders van Steijn de klas rond, terwijl iedereen juichte en iedereen haar bedankte. Dat was ook het moment dat ze haar bijnaam kreeg. Van pestkop Steijn nota bene. Hij riep als eerste GigaGertie ... Dat was mooi, mijmert Gertie nog even verder.

Maar al snel roept ze zichzelf tot de orde: er moet gewerkt worden. Voor het eerst mag ze een verjaardagsfeestje geven. Een langgekoesterde wens gaat eindelijk in vervulling. En dat feestje moet gewoon helemaal perfect worden. Gertie heeft zin in haar verjaardag. Daar heeft ze al heel lang zin in. Eigenlijk al sinds de dag na haar vorige verjaardag. Die vierde ze nog bij de kleuters. Ongelofelijk dat er in een jaar zoveel veranderd is: ze zit twee klassen hoger, ze kan fietsen zonder zijwieltjes, ze heeft nu twee zwemdiploma's en ze is zelfs een heel klein beetje gegroeid.

Maar het is nog niet gelukt om goede vrienden te maken. En daar zit Gertie toch wel mee. Het begon veelbelovend met Claire en Eva, maar die doen nu niks anders meer dan giechelen over jongens. En dat vindt Gertie helemaal niks. Niet dat Gertie ruzie heeft met haar klasgenoten, ze speelt met iedereen wel eens. Nou ja, behalve dan met Steijn en z'n makkers. En ze wordt ook wel eens op een feestje gevraagd, maar nooit als eerste. Een échte vriendin, of vriend desnoods, zit er gewoon niet bij. Maar nu mag ze eindelijk zélf een feestje geven met haar verjaardag. En dus maakt Gertie twee lijstjes: wie zal ze uitnodigen, en wat zullen ze gaan doen?

Even later laat Gertie haar moeder de lijstjes zien. 'Dus als ik het goed begrijp, wil jij op je verjaardagsfeestje een speurtocht houden, naar het ontdekmuseum gaan, iets knutselen, gaan dansen, koekjes bakken, spaghetti eten met pannenkoeken, frietjes en pudding en ijs, een toneelstukje spelen, naar de film gaan én een quiz maken?' vraagt Mar.

Gertie knikt heel ernstig. 'Ik kan niet kiezen, mama.'

'Schatje ...' begint Mar en ze bijt op haar lip om niet in lachen uit te barsten. Maar als Gertie dan ook nog zegt dat ze de hele klas wil uitnodigen omdat ze niet kan kiezen, is er geen houden meer aan: Mar krijgt de slappe lach.

'Wat is hier aan de hand?' roept Frieda als ze de keuken binnenloopt. 'Laat mij ook eens lachen!'

'Hi hi, ha ha, ze wil alle zesentwintig kinderen uitnodigen! We hebben straks twee weken lang feest …' Mar komt niet eens meer uit haar woorden, zo hard moet ze lachen. Frieda snapt er niet veel van, maar lacht om het lachen van haar moeder.

'Jullie moeten me helpen, niet uitlachen!' roept Gertie verontwaardigd. 'Snappen jullie dan niet hoe moeilijk ik dit vind?'

En dan begint ze hard te huilen.

En zo komt het dat de drie dames van het gezin Bemelmans-van Dijk even later samen aan de keukentafel zitten met thee en koekjes. Veel koekjes. Want alleen koekjes helpen in echte noodgevallen. De lachtranen en de huiltranen zijn snel gedroogd. Maar daarmee is het probleem natuurlijk nog niet opgelost.

'Wat moet ik nou met mijn feestje?'

Dit keer is het Frieda die met de oplossing komt: 'Waarom vier je je verjaardag niet gewoon in de Efteling? Daar gaan jullie toch naartoe op de dag voordat je jarig bent?'

Dat is natuurlijk een geweldige oplossing. De hele klas gaat toch al mee, dus kiezen hoeft niet meer. En het is natuurlijk erg cool als Gertie in de klas kan zeggen: ik ben jarig en ik nodig jullie allemaal uit om een pannenkoek te gaan eten in de Efteling. Wie weet? Misschien wordt ze wel zesentwintig keer teruggevraagd op feestjes. Misschien krijgt ze nu eindelijk vrienden en vriendinnen!

'En dan krijg ik van iedereen een cadeautje!' juicht Gertie. Zesentwintig cadeautjes! Ze ziet het al helemaal voor zich. Wat een feest wordt dat!

Nog diezelfde avond maakt Gertie de uitnodigingen voor haar feestje. Op de computer schrijft ze: *Op vrijdag 8 september vier ik mijn zesde verjaardag met de hele klas. Ik nodig jullie allemaal uit voor pannenkoeken in de Efteling. De cadeautjes kunnen we in de bus uitpakken.*

Mar staat naast haar en leest over haar schouder mee. 'Gertie, dat van die cadeautjes zou ik niet doen.'

'Waarom niet? Omdat we nog niet zeker weten of dat in de bus kan?'

'Nee, omdat ik niet denk dat iedereen een cadeautje meeneemt.'

'Tuurlijk wel, mam. Dat hoort toch zo?'

'Ja, maar dit is toch een beetje een bijzondere situatie.'

'Zeker weten. Ik heb een feest in plaats van een feestje, dus eigenlijk verwacht ik niet alleen meer, maar ook grotere cadeaus!'

Mar stelt voor om de zin over de cadeautjes gewoon weg te laten: 'Dan laat je de kinderen zelf beslissen of ze iets meebrengen.'

Gertie denkt even diep na.

'Je hebt gelijk,' zegt ze dan, terwijl ze met een druk op de deleteknop de cadeautjes-zin verwijdert. 'Iedereen weet toch wel dat je bij een feestje een cadeau mee moet brengen.'

3 Gaan wij naar de Efteling dan?

De volgende dag stapt Gertie als eerste de klas binnen. Meester Jean-Pierre zit al aan zijn bureau en hij kijkt verrast op als hij Gertie ziet.

'Goedemorgen, Gertie. Is het al zo laat, heb ik de bel niet gehoord?'

'Nee, meester. De bel is nog niet gegaan, maar ik wil u vragen of ik de uitnodigingen voor mijn verjaardag mag uitdelen in de klas.'

'Aha, is het bijna zover? Wanneer is de grote dag precies?'

Verontwaardigd kijkt Gertie haar meester aan. Hij weet toch zeker wel wanneer zijn kinderen jarig zijn? Ze wijst naar de verjaardagskalender, die ze gisteren samen hebben gemaakt. Gertie hangt nota bene helemaal bovenop, omdat ze als eerste jarig is ...

'Aha, volgende week zaterdag is de grote feestdag ... Leuk voor je. Hoe oud word je ook al weer?'

'Dat weet u toch zeker wel? Dat heeft u me gisteren ook al gevraagd! Ik word zes!'

'O ja, inderdaad. Nu herinner ik me het weer.'

'Nee, ik geloof niet dat we dat ooit eerder hebben meegemaakt.' Meester Jean-Pierre moest lang nadenken, toen Gertie hem gisteren vroeg of er al eens iemand van vijf in groep vijf had gezeten. Hij keek over het leesbrilletje dat op het puntje van zijn neus stond, toen hij vroeg: 'En je weet zeker dat je pas vijf bent?'

Gertie had hem met grote ogen aangekeken.

Wat een rare vraag. Je weet toch zeker zelf wel hoe oud je bent? En nu dit weer.

'Nou, mag het?' Gertie staat ongeduldig trappelend naast het bureau van de meester.

'Mag wat?'

'De uitnodigingen uitdelen ...'

'Je weet toch dat we dat niet in de klas doen? Dat is niet leuk voor de kinderen die niet worden uitgenodigd. Doe dat maar na schooltijd.'

'Maar, meester, ik nodig de hele klas uit. En u mag ook komen!' Stralend legt Gertie haar plannen uit.

'Zo zo,' zegt meester Jean-Pierre als Gertie eindelijk is uitverteld. 'Dat is nog eens een feestje. En wanneer gaat dat allemaal gebeuren?'

'Volgende week vrijdag, meester, als we naar de Efteling gaan.'

'Gaan wij naar de Efteling dan?'

Gertie knikt. 'Zeker weten, ik heb vorig jaar bij juf Suzanne een prijs gewonnen van de kinderboekwinkel. We gaan met de hele klas op 8 september naar de Efteling.'

'Ja, ja, ik heb wel zoiets gehoord. Volgende week vrijdag, zeg je,' mompelt meester Jean-Pierre. Hij pakt zijn agenda en begint te bladeren. 'Ik heb niks gepland voor die datum, weet je het wel zeker?'

'Heel zeker!'

'Nou dan zal ik mij wel vergissen, hè?' En als hij de uitnodiging leest, zegt hij nog eens 'Zo zo.' Dan haalt hij een tweede velletje uit de envelop. 'En wat is dit?' vraagt hij.

'Dat is mijn verlanglijstje. Dat heb ik er bij iedereen bij gestopt, want dat is gemakkelijker.'

'Zo zo,' zegt de meester. Voor de derde keer al.

En dan gaat de bel wel.

'Mag het nou?'

'Wat?'

'De uitnodigingen uitdelen ...'

'Tja, in dit geval kan ik er geen bezwaar tegen hebben,' zegt de meester.

Jeetje, denkt Gertie, die man is ook niet erg snel van begrip.

Tussen de middag vertelt Gertie het hele verhaal aan haar moeder. 'Alle kinderen vonden het hartstikke leuk,' zegt ze, 'alleen de meester deed zo raar.'

'Hoezo raar?'

'Nou, hij wist niet eens dat we vrijdag al naar de Efteling gaan en hij zei wel drie keer "zo zo". De eerste keer toen ik vertelde dat de hele klas mocht komen, de tweede keer toen hij de uitnodiging las en de derde keer toen hij het verlanglijstje zag.'

'Het verlanglijstje? Heb je een verlanglijstje bij zijn uitnodiging gedaan?'

'Niet alleen bij de zijne, bij iedereen natuurlijk!'

'O, Gertie ...'

Meester Jean-Pierre loopt die middag op de speelplaats. Als hij Gertie en Mar het schoolplein ziet op lopen, gaat hij snel naar hen toe.

'Kan ik jullie even spreken?' Meester Jean-Pierre schraapt zijn keel. 'Tja ... Gertie en, eh, mevrouw ... Ik vrees dat er sprake is van een misverstand.'

Dan blijft het even stil. Mar kijkt Gertie aan. Die haalt haar schouders op.

'Een misverstand?' probeert Mar het gesprek weer op gang te brengen.

'Ja, ja, een misverstand over de Efteling.'

'Over de Efteling?'

'Ja.'

'Misschien kunt u iets duidelijker zijn?'

Meester Jean-Pierre hapt naar adem. 'Vooruit dan maar. Ik zal het maar gewoon zeggen: niemand heeft de Efteling en de bus gereserveerd.'

Gertie grijpt Mars hand vast. Dit gaat niet leuk worden. Ze hoort Mar vragen hoe dat mogelijk is. De meester probeert het uit te leggen. Juf Suzanne, de meester zelf, Wies Beuken van de kinderboekwinkel: iedereen dacht dat iemand anders het zou regelen.

'En nu heeft dus niemand iets geregeld,' vertelt de meester.

'Heel vervelend,' hoort Gertie nog.

En: 'Onze excuses.'

De meester praat verder, maar Gertie hoort het amper. Haar verjaardagsfeestje, haar prijs, haar cadeautjes: het valt allemaal in duigen.

'Maar, maar ...' probeert ze nog, 'kunnen we dan niet een andere bus huren? Of met de trein gaan?'

Gerties lip trilt.

'Het huren van de bus is niet het grootste probleem, dat zou ons nog wel lukken. Maar volgende week is de kampweek van groep acht en daardoor zijn veel juffen en meesters weg. Het lukt gewoon niet, meid.'

'En dus?' vraagt Gertie zachtjes. Ook al weet ze het antwoord al, ze wil dat de meester het duidelijk zegt. Hij houdt toch altijd zo van duidelijkheid?

'En dus gaat het reisje naar de Efteling vrijdag niet door,' bevestigt de meester haar angstige vermoedens.

Gertie wil niet huilen, maar de teleurstelling is te groot. Ze draait zich om: de meester hoeft haar tranen niet te zien.

'We gaan een andere datum regelen, hoor,' probeert hij nog. 'We gaan echt naar de Efteling. Het komt allemaal goed.'

Ja, ja, denkt Gertie, dat zal wel.

'Kom op, meid!' Meester Jean-Pierre klopt op haar arm. 'Wil je me helpen om de klas het slechte nieuws te vertellen?'

Gertie schudt boos haar hoofd. Echt niet dat zij gaat vertellen dat het niet doorgaat. Dat doet de meester maar lekker zelf.

Groep vijf is natuurlijk vreselijk teleurgesteld als meester Jean-Pierre het slechte nieuws vertelt. Hij zegt ook tegen de klas dat het absoluut niet Gerties fout is: 'Zij kan hier helemaal niks aan doen. Haar valt dus ook niets te verwijten. Ben ik duidelijk?'

Na school loopt Gertie sip en verdrietig naar huis. Ze rent meteen naar boven, om Kuusj het hele verhaal te vertellen. En dan gaat ze met Kuusj meteen door naar Huupie. 'Ik heb mijn verlanglijstje al gemaakt en de uitnodigingen en we zouden pannenkoeken gaan eten,' moppert Gertie tegen Huupie.

'Dat kan toch nog steeds als jullie op een andere datum gaan?'

'Maar dan is het niet meer voor mijn verjaardag. En dat was nu juist zo speciaal.'

Huupie denkt even na. 'De Efteling kan ik niet voor je regelen,' zegt hij dan, 'maar vind jij dat ik lekkere pannenkoeken kan bakken?'

Gertie knikt. Tuurlijk, de pannenkoeken van Huupie zijn de lekkerste die ze ooit heeft gegeten.

'En als ik nou eens pannenkoeken kom bakken volgende week vrijdag?'

'Voor de hele klas?'

'Voor de hele klas!' knikt Huupie.

Wauw. Toch nog een feest, toch nog pannenkoeken en toch nog cadeautjes.

'Huupie,' roept Gertie opgelucht, 'je bent geweldig!'

De volgende ochtend is de Efteling-teleurstelling nog steeds het gesprek van de dag. Gelukkig is iedereen erg aardig voor Gertie.

'Rot voor je,' zegt Sven.

'Balen,' komen Eva en Claire vertellen.

Zelfs van Steijn kan er een complimentje af: 'Geweldig plan om je verjaardagsfeestje in de Efteling te vieren. En dat je het hebt aangedurfd om ook mij uit te nodigen. Best stoer, dat had ik niet achter je gezocht.'

Het aanbod van Huupie om vrijdag voor de hele klas pannenkoeken te bakken, wordt met luid gejuich ontvangen.

Gertie komt nog even terug op de uitnodigingen die ze gisteren heeft uitgedeeld.

'Waar "de Efteling" staat, moet je maar gewoon "in de klas" lezen,' vertelt ze. 'Maar het verlanglijstje klopt nog steeds.'

'Gertie, dat is toch geen lijstje meer ...' Eva wappert met de lange lijst van cadeau-ideetjes.

Gertie haalt haar schouders op. 'Zo weet ik tenminste zeker dat iedereen een cadeautje kan kopen,' zegt ze.

De pannenkoekenvrijdagmiddag is een groot succes. Huupie bakt stapels en stapels, maar er blijft geen een pannenkoek over.

'Gigalekkere pannenkoeken,' maakt Steijn een grapje. 'Maar Gertie, is dat nou jouw Spaanse opa?' roept hij hard en met volle mond door de klas terwijl hij naar Huupie wijst.

De hele klas weet van Gerties Spaanse opa. Hij speelde immers de hoofdrol in het verhaal *Ik heb een opa in Spanje en die komt*, waarmee ze aan het eind van vorig schooljaar het Efteling-dagje voor de hele klas won. Het verhaal was volkomen verzonnen, maar het klopt wel dat Gertie een Spaanse opa heeft. Ze kent hem echter niet. Haar oma Jozien heeft aan haar kleindochters verteld hoe zij hem ruim vijfendertig jaar geleden heeft ontmoet. Gertie vond het een vreselijk romantisch verhaal. Hoe het verder afliep, zou oma Jozien nog wel eens vertellen, had ze gezegd.

Gertie schudt haar hoofd. 'Nee, Huupie is mijn buurmanopa.'

Steijn reageert onmiddellijk: 'Mens, dat bestaat toch helemaal niet, een buurmanopa.'

'Jazeker wel, jongeman. Kijk maar eens goed, hier staat er eentje,' roept Huupie terwijl hij met zijn pollepel zwaait.

'Maar hij is niet je echte opa?' vraagt Annika nieuwsgierig.

Gertie schudt weer haar hoofd.

'Maar jullie doen wel dingen samen?'

'Jazeker,' antwoordt Gertie enthousiast, 'hij is mijn oppas en ik kan fijn met hem praten, hij eet vaak bij ons, hij vertelt me heel veel en heeft altijd tijd voor me.'

'Dat klinkt als een opa,' constateert Annika.

'Maar dat is het dus niet.'

Einde gesprek.

Gertie heeft het zo druk met pannenkoeken eten en genieten dat ze bijna de cadeautjes vergeet. Op het schoolplein heeft ze al nieuwsgierig rondgekeken. Wie heeft er een cadeautje bij zich? Niemand. Ze hebben de cadeautjes vast vanochtend al meegenomen, bedenkt Gertie. De meester heeft ook niks in zijn handen als hij de klas binnenkomt. Maar dat begrijpt ze wel: de meesters en juffen kunnen echt niet voor elk kind een cadeautje kopen. Bijna was ze dus de cadeautjes vergeten. Maar om halfdrie schiet het haar weer te binnen. 'Meester, vergeet u niet iets?'

'Hoe bedoel je, Gertie?'

'Nou je weet wel: jarig, feest, cadeautjes. Moeten we daar niet eens mee beginnen?'

Maar volgens de meester hoeft dat niet, dat doen ze straks wel.

Straks blijkt dus om vijf over drie te zijn. Tien minuutjes voordat de bel gaat.

'Dames en heren!' Meester Jean-Pierre klapt in zijn handen. 'Mag ik even jullie aandacht?'

De kinderen zijn verrassend snel rustig. Gertie kijkt om zich heen. Iedereen zit een beetje onderuitgezakt. Pannenkoeken eten is blijkbaar vermoeiend.

'Grote dank voor de heerlijke pannenkoeken. Mag ik een hartelijk applaus voor de pannenkoekenbakker van Gertie?'

Een luid gejuich barst los. Huupie is er duidelijk blij mee: hij heeft een grijns van oor tot oor als hij een vrolijke buiging maakt.

Als het tumult weer bedaart, heeft de meester nog een mededeling. Hij vertelt dat er een nieuwe datum is gereserveerd voor het bezoek aan de Efteling.

'Schrijf allemaal op: vrijdag 1 juni.'

'Dan pas?' roepen enkele kinderen.

Meester Jean-Pierre gooit zijn handen in de lucht: 'Ik weet het, ik weet het. Het duurt nog een hele tijd. Maar dan hebben jullie ook lekker lang voorpret.'

'Zeker weten, meester? Gaat het deze keer ook echt door?' vraagt Gertie.

'Check!' antwoordt de meester.

'Bus ook geregeld?'

'Check!'

'Kaartjes gereserveerd?'

'Check!'

'In uw agenda geschreven?'

'Check!'

'Mag ik dat even zien?' Gertie vertrouwt het nog steeds niet helemaal. Maar het staat er echt. In dikke, rode letters, met een uitroepteken erachter.

'Check!' roept Gertie.

En de klas begint te joelen net op het moment dat de bel gaat.

4 Eindelijk zes

'Zitten!' schreeuwt de meester en hij loopt naar de deur om Steijn en Edje, die de deur naar de gang al geopend hebben, tegen te houden. 'Even terug naar jullie plaatsen, heren.'

Iedereen zit, behalve Steijn en Edje. Ze slenteren naar hun plek, maar blijven staan naast hun tafel. De rugzak over de schouder geslingerd. Ze willen naar huis.

'Zitten is niet staan, mannen.' De meester klinkt boos. 'Hoe sneller jullie gaan zitten, des te sneller kan ik mijn verhaal afmaken.'

Uit de klas klinkt commentaar.

'Ga nou zitten, eikels.'

'Kom op, doe niet zo flauw.'

'Steijn, man, schiet op.'

Met veel bravoure gaan de jongens zitten. Ze zijn het er niet mee eens en dat laten ze merken ook.

Meester Jean-Pierre schraapt zijn keel. 'Om het een heel klein beetje goed te maken. Het is een boekenbon,' zegt hij en hij geeft Gertie een envelop. 'De kinderen uit de klas hebben allemaal een kleinigheidje bij elkaar gelegd en ook de meesters en juffen hebben een bijdrage gedaan.'

'Meester, meester!' Steijn weer. 'Voor ons is het toch ook jammer. Krijgen wij ook een cadeau?'

De meester negeert zijn vraag volkomen en stuurt groep vijf naar huis.

'Is dit alles?' mompelt Gertie in zichzelf. De klas stroomt leeg en zij zit met de envelop van de boekenbon in haar hand nog steeds aan haar tafeltje. De meester zwaait naar haar als hij de klas uit loopt. Huupie is zijn spullen aan het inpakken. Het is overduidelijk: dit is alles. Niks geen zesentwintig zorgvuldig uitgezochte en prachtig ingepakte verrassingen. Nee, één boekenbon.

Klaar.

Gertie maakt de envelop open en haalt de bon eruit: tien euro. Daar kun je dus net geen boek van kopen. Ze wil de bon terugduwen, maar dat gaat moeilijk. Als ze nog eens goed naar de envelop kijkt, ziet ze dat er nog een cadeaubon in zit. Die haalt ze eruit. Nog eens tien euro. Maar daar blijft het niet bij. In totaal zitten er maar liefst zes bonnen van tien euro in. Kijk. Daar kun je mee gaan shoppen. In Gerties hoofdcomputer – zo noemt ze haar hersens – zoekt ze onmiddellijk naar haar laatste boekenverlanglijstje. Interessant. De top vier kan ze zo kopen. Maar misschien moet ze nog even wachten tot na haar verjaardag. Of elke week een nieuw boek halen in plaats van in een keer alles aan te schaffen.

'Toch nog een beetje tevreden?' vraagt Huupie als ze samen naar buiten lopen.

'Een beetje,' antwoordt Gertie, 'maar ze hadden er op z'n minst een strik omheen mogen doen. Toch?'

Op de speelplaats staat Luc te wachten. Gerties klasgenootje Annika staat naast hem. 'Annika wil bij je komen spelen,' zegt Luc.

'Hoezo?'

'Hoezo hoezo?'

Annika staat er wat verlegen bij. 'Ik wilde altijd al eens met je afspreken,' zegt ze.

'Wordt dat niet te druk voor jou, papa?' vraagt Gertie. Ze probeert er duidelijk onderuit te komen.

Maar daar trapt vader Luc mooi niet in. Wil er eindelijk eens iemand met Gertie spelen, gaat mevrouw een beetje moeilijk lopen doen.

'Nee, joh, dat is juist gezellig!'

Thuis drinken de meisjes een glaasje fris. Een koekje slaan ze af.

'Zijn jullie ziek?' vraagt Luc.

'Overdosis pannenkoeken,' kreunt Annika en ze wrijft over haar bolle buik.

Gertie grinnikt.

'Dus Huupie is je buurman, niet je opa?' vraagt Annika. 'Hoe zit het dan met je opa in Spanje?'

Gertie haalt haar schouders op. Ze heeft niet veel zin om het hele verhaal aan Annika te vertellen. Ze kennen elkaar immers amper.

'Niks bijzonders, geen nieuws.'

Maar Annika vindt opa's blijkbaar een interessant onderwerp. 'En je buurmanopa dan?'

'O, die hebben we geadopteerd,' antwoordt Gertie.

'Echt geadopteerd?' vraagt Annika.

'Kun je ook onecht adopteren dan?' antwoordt Gertie.

'Maar hoe hebben jullie dat dan gedaan?' wil Annika weten.

'Waarom wil jij dat allemaal weten van die opa's?' vraagt Gertie een beetje geïrriteerd. Wat een vragen allemaal! 'Heb jij zelf eigenlijk een opa?'

Annika grinnikt. 'Nou en of. Ik heb er vier in de aanbieding.'

Gertie moet erg verbaasd gekeken hebben, want Annika schatert het uit.

'Dat komt door al die scheidingen en nieuwe liefdes in onze familie.'

'Jeetjepeetje.'

'Ja, het kan wel eens vermoeiend zijn. Maar het heeft ook de nodige voordelen, hoor. Logeren, oppassen, zakgeld, cadeautjes ...' somt Annika op.

'Nee,' besluit Gertie, 'dan maar liever simpel, zoals bij mij.'

'Simpel? Ik vind jouw opa-situatie juist ontzettend interessant.' Annika geeft het nog niet op. Ze wil alles weten over het adopteren van Huupie. 'Ik dacht dat je alleen kinderen kon adopteren. Ik wist niet dat het met opa's ook kon.'

Gertie haalt haar schouders op. 'Alles kan, als je maar wilt.'

'Hoe hebben jullie dat dan gedaan?' vraagt Annika nog eens.

'Niks bijzonders, gewoon gezegd dat we elkaar maar eens moesten adopteren. En toen was het echt. Gaan we vandaag ooit nog knutselen?' Handig leidt Gertie de aandacht van het onderwerp af. Maar Annika heeft nog een laatste vraag.

'O, dus niet via de rechtbank en zo?'

Via de rechtbank? Gertie trekt een diepe frons. De rechtbank? Wat is nou weer een rechtbank? 'Nee, gewoon op de bank bij ons thuis,' geeft ze als antwoord. En dan op een manier alsof ze zeggen wil: wat dacht jij dan? Maar nu is het wel genoeg met al die opa-vragen: 'Tekenen of kleien?'

'Ze is wel aardig,' zegt Gertie tegen Luc als hij haar 's avonds naar bed brengt. 'Maar of het een vriendin kan worden, dat weet ik nog niet.'

'Dat hoef je na één keer afspreken ook nog niet te weten. Maar het lijkt me de moeite van het proberen waard.'

'We zullen zien. O, papa, ik hoop maar dat ik kan slapen! Ik ben zo zenuwachtig voor morgen. Ik zal wel heel vroeg wakker zijn,' leidt Gertie snel de aandacht af.

Gertie had gelijk. Kwart voor zeven wordt het de volgende ochtend. Langer kan ze het echt niet meer rekken. Ze ligt al een halfuur wakker in bed, leest wat *Donald Ducks*, maar dan is het niet meer tegen te houden. Het feest kan beginnen!

Na een superuitgebreid ontbijt met versgebakken croissantjes, vruchtensalade en een stukje cake met zeven kaarsjes – een extra kaarsje voor Kuusj, want die is vandaag ook jarig – duurt het Gertie te lang totdat oma komt. Ze belt haar op haar mobiel.

'Kun je niet iets vroeger komen?'

'Ik zal kijken of ik met de machinist iets kan regelen. Dat hij sneller gaat rijden of zo?'

'O, je zit in de trein?'

'Ja, nog even geduld dus.'

'Oké.'

Gelukkig voor Gertie staat Huupie vrij snel daarna als eerste op de stoep. Met een enorm groot en zwaar cadeau op een plank met wielen. Hij heef het helemaal ingepakt in krantenpapier en er zit een grote, gouden strik omheen.

'Tadaaaa!' roept hij. 'Kijk eens wat vanmorgen vroeg met een vrachtwagen en een hijskraan bij mij is afgeleverd. Jouw naam staat erop.'

Gertie staat te springen van ongeduld en nieuwsgierigheid. Meestal maakt Huupie zelf iets: een poppenhuis, een keukentje, een houten winkeltje, een koekoeksklok ... De meisjes zijn de afgelopen jaren flink door hem verwend. 'Ach, ik doe het graag,' zegt Huupie altijd een beetje verlegen als hij een complimentje krijgt over zijn vakmanschap. Maar aan zijn stralende oogjes kun je zien dat hij er blij mee is.

'Proficiat allemaal!' Huupie zoent zijn buurvrouw, zijn buurman krijgt een hand, hij zwaait naar Frieda en schudt Gerties hand heel hard op en neer. 'Mag ik mijn zesjarige buurmeisje nog zoenen als ze jarig is, of ben je daar nu te oud voor, Gertie?'

'Eerst het cadeautje uitpakken,' roept Gertie.

'Eerst maar even binnenkomen misschien?' stelt Mar voor. 'Gertie, het is erg onbeleefd om zo hebberig te zijn.'

'Ach, Mar, laat het kind maar. We kennen elkaar toch? Ik kan me zo goed voorstellen dat ze nieuwsgierig is. Kom, meid, eerst naar binnen. We gaan het cadeau toch zeker niet op de stoep uitpakken? Luc, help je even?'

De mannen tillen de plank met wielen voorzichtig over de drempel en rijden het pakket de woonkamer binnen.

'Mag ik helpen met uitpakken?' vraagt Frieda, die minstens zo nieuwsgierig is als haar zusje. De meiden springen bijna boven op het cadeau.

'Heb je het weer zelf gemaakt?' vraagt Gertie. Ze hijgt, want het is hard werken om al het krantenpapier eraf te krijgen.

Huupie knikt, maar Gertie ziet het niet. Ze heeft het veel te druk met uitpakken. Laag na laag gaat het krantenpapier eraf. Het pak wordt kleiner, maar is nog steeds erg groot.

'Misschien zit er wel gewoon een appel in en heeft Huupie een jaar lang kranten gespaard om die mee in te pakken,' giechelt Frieda.

'Een appel?' Vragend kijkt Gertie haar zus aan. Ziet ze dan niet dat het iets vierkants is?

'Een dobbelsteen dan?'

Maar nee. Huupie heeft voor Gertie een verzamelkast getimmerd! De kast is geverfd in Gerties lievelingskleuren: lichtblauw en lichtgroen. Het ding heeft heel veel laatjes en bakjes. Sommige zijn doorzichtig, zodat je kunt zien wat erin zit. De laatjes die niet doorzichtig zijn, hebben handvaatjes waar je een kaartje in kunt stoppen. Zo weet je altijd wat waar zit.

'Voor al je verzamelingen,' zegt Huupie er nog bij.

'O, ik dacht voor al haar onderbroeken,' grapt Frieda, wat haar een stomp van Gertie oplevert.

'Luc, help je eens een handje? We moeten 'm eerst boven zien te krijgen,' zegt Huupie. 'Op je kamer neem ik aan, Gertie?'

De kast past precies in de hoek. En ook de kleuren zijn perfect.

'Hoe wist je welke kleur het moest worden?' vraagt Gertie nieuwsgierig.

'Eerst wilde ik de kast gewoon wit schilderen. Dat past altijd overal bij, wat je lievelingskleur ook gaat worden. Maar toen zei je moeder ...'

Gertie onderbreekt hem: 'Toen zei mijn moeder zeker dat lichtgroen en lichtblauw altijd mijn lievelingskleuren zullen blijven.'

'Hoe weet jij dat?' reageert Huupie.

Gertie fronst haar wenkbrauwen. Mar zou best wel eens gelijk kunnen hebben. Tenslotte heeft zij zelf ook al haar hele leven paars als lievelingskleur. Lijkt Gertie wat dit betreft op haar moeder? Niet op haar vader, zoveel is zeker. Maar dat kan ook komen doordat jongens niet echt aan lievelingskleuren doen. Dat ziet ze wel in de vriendenboekjes die de klas rondgaan. Jongens vullen bij 'lievelingskleur' vaak niks in, of een vraagteken. Maar Gertie moet ook aan oma Jozien denken. Die wisselt net zo vaak van lievelingskleur als ze zin heeft. En daar is ook iets voor te zeggen. Wat dat betreft lijken oma Jozien en Gerties moeder niet echt op elkaar. En toch ook weer wel. Komt dat dan door die Spaanse opa? En wat heeft Gertie dan van de Spaanse opa?

'Gertie, hallo, ben je er nog ...?'

Luc staat in de hoek van de kamer naar haar te zwaaien. 'Hier?' vraagt hij en hij wijst naar de kast.

De kast. Gertie was helemaal in gedachten verzonken. Ze kijkt naar haar vader en naar Huupie, die allebei staan te wachten op haar antwoord.

Ja, knikt ze, dat is de perfecte plek.

De mannen gaan aan de slag met de boormachine. Kabaal dus. Gertie vlucht dan ook snel naar beneden.

5 Geweldige cadeaus en een onthulling

'Mama?'

'Ja, Gertie?'

'Jouw vader, hè?'

'Ja?'

'Heb je die echt nooit gezien?'

'Aha, de Spaanse opa, ik vroeg me al af wanneer die weer eens zou opduiken. Nee, ik heb hem nooit gezien en hij mij ook niet.'

'Ben je dan niet nieuwsgierig naar hem?'

'Wel even geweest. Toen ik een jaar of veertien was, wilde ik hem graag leren kennen.'

'En?'

'En niks. Hij wilde niks met mij te maken hebben.'

'En toen?'

'Nog steeds niks. Natuurlijk vond ik dat even jammer. Heel even maar, hoor. Maar ik bedoel: waarom zou ik me lang druk maken om hem? Hij wilde me niet eens leren kennen en hij had nooit iets voor me gedaan. Daar heb je dus toch niks aan, aan zo'n man.'

Gertie begrijpt heel goed wat haar moeder zegt. Maar toch is ze erg nieuwsgierig naar die onbekende opa uit Spanje.

'Praat straks maar eens met oma Jozien,' zegt Mar, 'misschien moet zij je eerst even het hele verhaal over je Spaanse opa vertellen. Want de rest van het verhaal is lang niet zo mooi als het eerste stuk.'

'Hoezo?'

'Vraag dat maar aan oma.'

‘Klaar! Kom je kijken?’ Luc staat boven aan de trap.

Gertie rent snel naar boven. Frieda en Mar lopen er net zo nieuwsgierig achteraan.

‘Alsof de kast op maat gemaakt is,’ geeft Gertie als commentaar, terwijl ze de laatjes een voor een uitprobeert.

Huupie geeft serieus antwoord: ‘Dat is ook zo, liefje. Helemaal precies op maat gemaakt. Voor jou, voor dit plekje, voor deze kamer. Heb je de grote ideeënla gezien? In plaats van je ideeëndoos?’

Gertie knikt enthousiast. Die Huupie, die denkt ook aan alles. Net als oma Jozien, die heeft ook altijd goede oplossingen. Gertie heeft altijd zo veel ideeën, dat ze vaak een te vol hoofd heeft. Oma Jozien vertelde haar daarom over de ideeëndoos. ‘Als je hoofd te vol is, schrijf je een idee op een papiertje en stop je het in de doos. Als je tijd en zin hebt, haal je dat idee er weer uit om er verder over door te denken,’ had oma gezegd, ‘zo hou je je hoofd tenminste een beetje leeg.’ En nu heeft Gertie, dankzij Huupie, zelfs een hele la voor haar ideeën.

‘We hebben alleen één probleempje,’ zegt Gertie peinzend, ‘ik kom niet aan de bovenste drie laatjes.’

‘O, maar dat zijn de laatjes voor de toekomst. Dat is een kwestie van groeien, meid,’ grapt Huupie.

De laatjes voor de toekomst. Gertie vindt het een schitterend plan. ‘Lege laatjes die ooit, maar je weet nog niet wanneer, gevuld gaan worden met iets, maar je weet nog niet wat,’ fluistert ze.

‘Nee maar ...’ zegt Huupie vol bewondering. ‘Gertie, meisje, volgens mij is dat een perfecte omschrijving van de toekomst.’

En daar zijn ze het allemaal over eens.

Gertie wil haar kast meteen gaan inrichten. Ze verzamelt al haar kistjes en doosjes en rekjes en potjes op het bed. Overal tovert ze spulletjes vandaan: van onder het bed, uit de kledingkast, van de vensterbank. Uit de laatjes van haar secretaire, het antieke bureautje, komt nog meer tevoorschijn. En dan gaat de bel.

'Oma!' juicht Gertie en ze rent zo snel als ze kan naar beneden.

'Hoe heeft ze dat in die paar minuten voor elkaar gekregen, Luc?'

Verbijsterd staren de mannen naar de gigantische puinhoop die Gertie achterlaat.

'Kijk, Huupie, en daarom was zo'n kast een geweldig idee. Stel je de toekomst even voor: al dat kleine, rommelige spul, keurig gerangschikt in één kast.'

'Het zou zomaar kunnen,' beaamt Huupie.

'Je weet het niet, hè?' Luc geeft een overduidelijke imitatie van zijn jongste dochter. 'Kom op, Huupie, het feest kan beginnen. En wij hebben toch wel een extra drankje verdiend, dacht ik zo.'

Zoals altijd komt oma Jozien met een hele hoop kleine cadeautjes. Zij zal nooit gewoon naar de speelgoedwinkel gaan om een cadeautje te kopen: het hele jaar door verzamelt ze dingen die ze tegenkomt en die volgens haar 'typisch Gertie' of 'echt iets voor Frieda' zijn.

Gertie is bijzonder blij met het mooie schrift dat oma heeft meegenomen. Oma stelt voor om dat als dagboek te gebruiken. Gertie vindt dat een heel goede tip. Het enige cadeautje waar Gertie haar twijfels over heeft, is het vriendenboekje.

'Hoezo een vriendenboekje?'

'Om je vijanden in te laten schrijven?'

'Ha ha, ik weet ook wel dat het voor je vrienden bedoeld is. Maar ik heb geen vrienden, behalve jou en Huupie.'

'Nou, dan wordt het hoog tijd dat daar verandering in komt, niet?'

'En ik dan?' roept Frieda vanaf de bank. 'Hoor ik niet bij je vrienden?'

'En die Annika, die hier gisteren was?' roept Gerties vader.

'En Sven dan? En Eva en Claire?' roept haar moeder vanuit de keuken.

'Jahaaaa.'

Even later zit iedereen aan tafel. Op het menu staat natuurlijk Gerties lievelingskostje: spaghetti. Mét rode saus.

'Oma?'

'Ja, Gertie?'

'Die Spaanse opa van mij, hè?'

'Aha, de Spaanse opa, ik vroeg me al af wanneer die weer eens zou opduiken.'

Gertie kijkt haar verrast aan.

'Heb jij hier met mama over gepraat?'

'Nee, hoezo?'

'Zij antwoordde precies hetzelfde.'

'Dat is ook toevallig! Maar kom op, wat wil je weten?'

'Hoe zit dat nou precies?'

'Dat wil ik je graag vertellen, schat. Maar daar moeten we even rustig voor gaan zitten. Na het eten?'

Gertie knikt van ja.

Na het eten neemt Huupie afscheid.

'Ik denk dat ik maar eens opstap,' zegt hij, 'bij een familieaangelegenheid horen geen buitenstaanders.'

'Jij bent toch ook zo goed als familie?' zegt Gertie.

Huupie glimlacht: 'Je zegt het precies zoals het is: zo goed als. Als je wilt, mag je me morgen alles komen vertellen. Maar nu stap ik op.'

Bij de koffie en de bonbons horen Gertie en Frieda het hele verhaal van hun Spaanse opa. Oma begint met het romantische stuk dat ze hen een tijdje geleden al eens verteld heeft. Oma was een achttienjarige actrice, die in Amsterdam smoorverliefd werd op Pedro Perez, een knappe Spaanse man op wereldreis. Zes weken lang waren zij samen en toen moest de Spaanse minnaar terug naar zijn familie. Maar hij zou terugkomen, beloofde hij.

Toen hij net weg was, bleek oma zwanger te zijn. Ze was ontzettend gelukkig en stuurde hem meteen een brief. Maar Pedro's reactie bleek totaal anders dan oma Jozien verwacht en gehoopt had. Per brief maakte hij de verkering uit en liet hij Jozien weten dat hij niks met haar en de baby te maken wilde hebben. Hij nam niet eens de moeite om het haar persoonlijk te vertellen.

'Wat gemeen!' Gertie heeft met grote ogen en rode wangen zitten luisteren. 'En toen?'

'Toen niks. De liefde van mijn kant was meteen over. Op zo'n vent zit je toch niet te wachten?'

'En mama heeft haar vader nooit gezien?'

Mar van Dijk neemt het verhaal van haar moeder over. 'Mijn moeder heeft me het verhaal van mijn vader al heel vroeg verteld. Ik heb nooit een vader gemist, maar ik was natuurlijk wel heel nieuwsgierig. Dat vertelde ik je zojuist al in de keuken. Dus stuurde ik hem een brief. Een dikke week later kwam de brief terug. Met rode pen had hij op de envelop geschreven: *no contact and return to sender*. Met een heleboel uitroeptekens.'

'Ik wil geen contact en retour afzender,' vertaalt Luc.

'En dat was het?' vraagt Gertie geschokt.

'Dat was het.'

'Was je verdrietig?'

'Eventjes. Maar meteen daarna vooral heel erg boos. Toen was ik ook klaar met hem. Sommige mensen zijn nu eenmaal niet de moeite waard om verdrietig om te zijn. Jammer genoeg is mijn vader zo iemand.'

'Toch ben ik die man dankbaar,' zegt oma Jozien peinzend.

'Dankbaar?' roept Gertie uit.

'Ja, want dankzij hem heb ik een prachtige dochter en twee fantastische kleinkinderen ...'

'En een geweldige schoonzoon,' komt Gerties vader er nog even tussendoor. Hij moet er zelf om lachen.

'Ha ha, pap, leuk hoor,' sist Frieda verontwaardigd, 'het gaat nu even niet over jou.'

Gerties vader steekt zijn tong uit naar Frieda, en knipoogt tegelijkertijd naar zijn vrouw.

Oma Jozien praat verder. 'En ik heb iets over mezelf geleerd, wat anders misschien nooit naar boven was gekomen: ik ben een doorzetter. Als ik zeg "dat kan ik, dat wil ik", dan doe ik dat ook.'

Iedereen aan tafel moet nu lachen. Want in die woorden herkennen ze allemaal Gertie. Hoezo familie?

Voordat Gertie die avond in haar bed kan kruipen, moet ze eerst alle verzamelspulletjes van haar bed afhalen. Morgen gaat ze haar verzamelkast inrichten. Ze heeft er nu al zin in, maar het is bedtijd en ze is moe. Met Kuusj in haar hand trekt ze de gordijnen dicht. Ze ziet Huupie in de keuken zitten. Hij heeft de grote lamp aan, de gordijnen zijn open. De krant ligt opengeslagen op tafel. Maar Huupie leest niet. Hij staart nadenkend naar buiten.

Hij ziet er eenzaam en verdrietig uit, vindt Gertie. Dat is haar nooit eerder zo opgevallen. Arme Huupie, denkt ze. Ze klopt op het raam, maar hij hoort haar niet. Zou hij zijn hoorapparaat weer niet aanhebben? Gertie probeert het nog eens, nu een beetje harder. Geen resultaat. Dan doet ze een paar keer snel achter elkaar het licht uit en weer aan. Dat werkt wel. Huupie kijkt omhoog en ziet Gertie zwaaiend voor haar slaapkamerraam staan.

'Welterusten, Huupie,' fluistert ze. Huupie hoort haar natuurlijk niet, maar hij begrijpt haar wel.

Gertie krijgt een kushandje en een glimlach terug.

6 Van je familie moet je het hebben

'De tijd vliegt.' Dat zegt Huupie altijd. Beetje vreemde uitdrukking, vindt Gertie. Ze ziet het helemaal voor zich: een horloge met vleugels. Of een wekker achter op de rug van een zoemende bij.

'Ze zeggen dat de tijd sneller lijkt te gaan als je ouder wordt,' heeft Huupie eens gezegd, 'maar ik denk dat je zelf langzamer wordt en dat het daardoor alleen maar lijkt alsof de tijd sneller gaat.'

Gertie moet er even over nadenken. Tijd is toch gewoon tijd? Of is de tijd voor Huupie dan een andere tijd dan die voor Gertie? Ze informeert bij haar grote zus. Maar die lacht Gertie alleen maar uit.

Haar vader wil er eens uitgebreid voor gaan zitten. Hij houdt van filosoferen: heel diep nadenken over hoe dingen misschien anders zijn dan dat ze lijken. Maar daar heeft Gertie nu niet veel zin in. Ze stuurt nog maar eens een mailtje naar oma Jozien. Misschien weet zij hoe het zit.

De laatste weken hebben de twee hartsvriendinnen regelmatig mailtjes gestuurd. Favoriete onderwerp van Gertie: de Spaanse opa.

Gertie is erg verdrietig geweest over het verhaal dat haar oma over hem heeft verteld. Ze heeft altijd een opa gemist. De vader van haar vader heette ook Luc Bemelmans, net als zijn oudste zoon. Hij is gestorven voordat Gertie geboren werd. Als ze de verhalen van haar vader en van zijn broer Rob mag geloven, moet hij een vreselijk lieve man geweest zijn. Het lijkt Gertie geweldig om een opa te hebben. Om samen dingen mee te doen, mee te kletsen, bij op bezoek te gaan.

Een opa kan je van alles leren. Een opa heeft tijd voor je, is altijd lief. Een opa is je vriend, mailde Gertie aan oma Jozien. *Zoiets als jij dus. Maar dan als man*, schreef ze er nog achteraan.

De mailtjes gingen heen en weer:

Oma Jozien: *Zoals een Huupie, bijvoorbeeld.*

Gertie: *Ja, zoiets. Maar dan toch anders.*

Oma Jozien: *Hoezo anders?*

Gertie: *Nou ja, échter, bedoel ik. Huupie zou een heel goede opa zijn, maar dat is hij natuurlijk niet.*

Oma Jozien: *Want?*

Gertie: *Want hij heeft geen kinderen en dus ook geen kleinkinderen.*

Oma Jozien: *En dus?*

En dus kan hij geen opa zijn, was het stellige antwoord van Gertie. Gevolgd door: *dat is toch logisch?*

Van Gerties klasgenoten doet bijna niemand thuis nog aan Sinterklaas. 'Dat is voor kleuters,' zeggen ze smalend. Ook bij Gertie thuis slaan ze voor het eerst Sinterklaas over en geven ze elkaar met de kerst cadeautjes. Gertie moet even wennen aan het idee, maar ze besluit dat ze het een goed plan vindt. Zo heeft ze ook eens iets gemeen met de rest van de klas.

Op school doen ze wel aan sinterklaassurprises: iedereen moest voor iemand anders een knutselwerkje en een gedichtje maken. Gertie moest een surprise voor de meester maken. Ze had veel werk van zijn gedicht gemaakt. Dat vond ze leuk om te doen. Op Jean-Pierre rijmt niet zo veel. Ja, inderdaad, ordinair. Maar dat durfde ze toch niet. Gelukkig had ze een alternatief: JP daar rijmt veel mee, of Jan-Piet maar ook dat durfde ze niet. Samen met haar moeder maakte ze een T-shirt met de uitdrukking die de meester wel tien keer per dag gebruikt. *Ben ik duidelijk?* staat er op de voorkant, en op de achterkant: *Soms wel, soms niet.* Een geslaagde surprise. De meester en de kinderen moeten flink lachen, dus het valt in de smaak.

Gertie krijgt zelf een heel kort gedichtje, zonder knutselwerkje.

'Het rijmt niet eens,' beklaagt ze zich bij de meester. En van de tien viltstiften die ze als cadeautje krijgt, doen er vier het niet. Vreselijk oneerlijk, vindt ze. Zij heeft zoveel moeite gedaan en anderen maken zich er zo makkelijk van af.

'Tja, Gertie, zo gaat dat in het leven: niet iedereen pakt de zaken op dezelfde manier aan.'

'Maar, meester,' Gertie heeft al snel in de gaten dat de meester echt niet van plan is om iets met haar commentaar te doen, 'dat is toch oneerlijk?'

'Tja, het leven is niet altijd eerlijk.'

Waarop Gertie boos de klas uit loopt en over haar schouder roept: 'U bent wel duidelijk, hoor.'

En dan is het bijna kerst. Gertie en Frieda gaan samen met Luc een kerstboom kopen. Ook Huupie gaat mee. Mar heeft als opdracht meegegeven om een kleine boom uit te kiezen. Luc moet daar smakelijk om lachen: hij wil juist altijd een heel grote.

‘Wie de boom gaat kopen, mag hem ook uitzoeken,’ plaagt hij, ‘dus schuif de meubels maar alvast aan de kant, schatje.’

Huupie, Gertie en Frieda grinniken mee. Dit ritueel kennen ze ondertussen wel. Het herhaalt zich elk jaar.

‘Huupie, we gaan voor jou toch ook een boom uitzoeken?’ vraagt Frieda.

‘Inderdaad, maar ik hoef niet zo’n grote als jullie vader. Voor mij is een kleine boom genoeg.’

‘Mag ik je dan helpen met versieren?’ vraagt Gertie razendsnel, wat haar een boze blik en een stomp van Frieda oplevert.

‘Dat wilde ik net vragen, kind.’

‘Kind? Alsof jij zo volwassen bent.’

‘Meisjes, meisjes,’ grijpt Huupie in, ‘ik kan heus wel vier helpende handen gebruiken. Laten we nu vooral jullie vader in de gaten houden, voordat hij de aller-, allergrootste boom aanschaft,’ leidt hij de aandacht van de meisjes af.

En zo komt de hele bups een uurtje later thuis. Met een grote en een kleine boom. Luc heeft een grote grijns op zijn gezicht. ‘Kom, lekker mama plagen,’ zegt hij.

De grote boom legt hij om de hoek en met het kleine boompje van Huupie in zijn hand, belt hij bij zijn eigen voordeur aan. Gertie hoort haar moeders voetstappen naar de voordeur komen.

‘Kijk, schat,’ wijst Luc naar de kleine boom, ‘is dit een goed exemplaar?’

‘Luc Bemelmans, ik ken jou al langer dan vandaag, hoor. Hoe groot is de onze dit jaar?’

En dan haalt Luc grinnikend zijn grote boom. Om er, zoals elk jaar, eerst een flink stuk af te zagen, want hij past alweer niet in de woonkamer.

Ondertussen helpen Gertie en Frieda met het versieren van Huupies boompje. Huupie heeft vele mooie en oude kerstspulletjes. Allemaal heel erg breekbaar en Gertie vindt het best eng. Niet alles past in de boom, het is immers maar een kleintje.

'Wat niet in mijn boom past, nemen jullie maar mee voor in jullie kerstboom,' zegt Huupie, 'dan heb ik er ook nog een beetje plezier van.'

Op eerste kerstdag komt de hele familie op bezoek.

Nou ja, de hele familie, bedenkt Gertie als ze 's ochtends in bed wakker ligt te worden. Je kunt het beter hebben over haar familietje. Oom Rob, de enige oom die de meisjes hebben, is weer eens op reis, dus die komt niet. En verder is er alleen oma Jozien en Huupie. Ook al is Huupie officieel geen familie, Gertie telt hem wel mee. Ze praat vaak met Huupie. Over van alles en nog wat. Meestal zijn dat heel serieuze gesprekken.

'In tijden van nood kun je altijd op je familie bouwen,' zei hij laatst nog. 'Vrienden komen en gaan, maar familie blijft.'

'Oma Jozien zegt altijd dat er nooit genoeg mensen zijn die van je houden. En dan maakt het niks uit of ze familie zijn, of vrienden.'

'Je hebt een wijze oma, Gertie,' lacht Huupie.

Ook Gertie lacht. 'En een leuke en een lieve en een mooie en een slimme ...' voegt ze eraan toe.

'Ja, als ik een paar jaartjes jonger was geweest ...' Huupies oogjes blinken. Dat vindt Gertie zo leuk aan Huupie: zijn glinsteroogjes. Als hij pret heeft, glinsteren ze. Ook bij binnenpretjes. Gertie ziet het dus onmiddellijk als hij probeert een grapje met haar uit te halen.

'Jij en oma Jozien?' vraagt ze terwijl ze een bedenkelijk gezicht trekt.

Het zou natuurlijk een geweldige oplossing zijn. Stel je voor: Gertie een opa, Huupie een familie en oma een man. Maar zelfs Gertie weet wel dat de combinatie van Huupie en oma Jozien niet echt voor de hand ligt.

Thuis gooit Gertie geregeld het onderwerp 'familie' in de groep. Hoe leuk het zou zijn als ze een grote familie zouden hebben, met veel oma's en opa's, ooms en tantes en hele hordes neefjes en nichtjes.

'Jij hebt maar één broer,' beklaagt Gertie zich, terwijl ze naar Luc wijst.

'Daar kan ik toch niks aan doen?' reageert Luc verontwaardigd.

Maar Gertie gaat gewoon verder. 'Wij hebben maar één oom en niet eens één neefje of nichtje. En als jouw Rob ooit een vrouw vindt en als hij ooit kindertjes gaat krijgen, dan woont hij zeker aan de andere kant van de wereld en praten die kinderen misschien wel Japanees of zo.'

'Japans bedoel je zeker,' verbetert Mar haar.

'Nee, ik bedoel Japanees. Je denkt toch zeker niet dat Rob met een gewone Japanse vrouw gaat trouwen? Hij zegt altijd dat hij zoekt naar een wereldvrouw. Dus dat wordt minstens een Japanse die in China woont.'

'Of andersom?'

'Of andersom. En die kinderen zullen heus wel Japanees praten. Die zien we dan elke vijf jaar een keertje, maar gewoon samen verstoppertje spelen zit er natuurlijk niet in.'

'Waarom niet?' vraagt Luc.

'Kun jij dan tot vijftig tellen in het Japanees?' Verontwaardigd kijkt Gertie hem aan. Soms moet je ouders ook alles uitleggen!

Als Gertie bij het kerstontbijt plotseling aankondigt dat ze op zoek wil gaan naar haar Spaanse opa, wordt het doodstil in de huiskamer.

'Weet je dat zeker?'

'Absoluut zeker,' beantwoordt Gertie de vraag van haar zus stellig. 'Ben jij dan niet nieuwsgierig?'

Frieda haalt haar schouders op. 'Misschien, maar het boeit me eigenlijk niet zo.'

'Die zoektocht kan wel eens vies tegenvallen,' probeert Luc, 'je kent toch het verhaal van je moeder?'

'Mam?' Gertie kijkt haar moeder aan.

'Liefje, als je verwacht dat je een heel enthousiast antwoord krijgt en dat hij volgende week hier op de stoep staat met een berg cadeautjes en gezellig met je komt kletsen, dan kan het wel eens heel anders uitpakken.'

Nee.

Gertie schudt haar hoofd.

Nee.

'Misschien wordt het wat, misschien wordt het niks. Ik wil het gewoon weten.'

Het is stil in de kamer. Ze horen allemaal de koekoeksklok van Huupie door de muur heen roepen dat het tien uur is.

'Je hebt er goed over nagedacht, hoor ik,' zegt Luc.

Gertie knikt. Ze heeft er inderdaad goed over nagedacht. 'Mama?'

'Stel je er niet te veel van voor, liefje. Je hebt mijn verhaal toch gehoord?'

'Ik weet het. Maar ik wil het toch graag weten. Kan dat?'

'Dat kan.'

'Oké, dan doen we het.' Om meteen op het volgende onderwerp over te schakelen: 'Wat eten we vanavond eigenlijk?'

7 Huupie en Petronella

Met oud en nieuw wordt er geproost op de Spaanse opa. Gertie, die om halftwaalf door Mar is gewekt, is nog heel erg slaperig. Maar toch wakker genoeg om – in haar pyjama, met wilde haren en natuurlijk met Kuusj in haar armen – te toosten: 'Op de zoektocht naar de Spaanse opa!'

Waarna de hele familie eendrachtig 'olé' roept.

Frieda heeft zich inmiddels bedacht. 'Ik doe mee! Laten we het uitzoeken, dan weten we tenminste waar we aan toe zijn.'

Gertie heeft haar oma nog gevraagd of zij niet nieuwsgierig is naar haar vroegere liefde. Maar oma Jozien is daar heel duidelijk over: zij zit niet te wachten op die man. Zij helpt puur en alleen voor haar kleindochters.

Maar hoe zoek je nu het adres van iemand in Spanje? Googelen heeft geen zin. Frieda en Gertie denken aan een advertentie in een Spaanse krant: *Wie kent Pedro Perez, ongeveer 55 jaar oud, die woont in Málaga, Zuid-Spanje?* Of een oproep op televisie.

'Ze zoeken toch wel eens mensen in zo'n programma? Opsporing of zo heet dat?' zegt Gertie.

'Dat is voor boeven!' schatert Frieda. 'Als hij daarop reageert, nou, dan laat maar.'

Oma Jozien bespaart de meiden verdere creatieve oplossingen. Zij belt met de mededeling dat ze het adres al gevonden heeft.

'Via via via: iemand die iemand kent, die weer iemand anders belde,' vertelt ze aan Gertie, die het maar een vreemde manier van zoeken vindt. Maar waar het om gaat, is het resultaat. Dat telt.

Gertie en Frieda schrijven samen met Luc de brief. Dat levert behoorlijke discussies op, want hoe pak je zoiets aan? Het begint al met de keuze tussen *geachte heer Perez* of *lieve opa*. Daar blijft het niet bij: een korte brief of een heel uitgebreide en gezellige brief? Wel of niet een foto erbij? Beginnen we voorzichtig met *misschien eens kennismaken* of gaan we voor *mogen we eens komen logeren?* Met andere woorden: het duurt even, maar dan is het drietal het eens. Luc leest de kladversie nog eens voor. Voor alle zekerheid.

Beste meneer Perez, beste opa,

Vijfendertig jaar geleden heeft u onze oma leren kennen: Jozien van Dijk.

Wij zijn uw kleindochters, de kinderen van uw dochter Margarita Eleonora, ook wel bekend als Mar van Dijk.

Wij heten Frieda (12 jaar) en Gertie (6 jaar).

Familie is belangrijk en die hebben we niet veel. Wij zijn heel nieuwsgierig naar u en willen u graag leren kennen.

Wilt u dat ook? Laat het ons dan weten, dan kunnen we een afspraak maken.

Vele groeten,

Van Frieda en Gertie Bemelmans (zo heet onze vader)

'Allemaal mee eens?'

De meisjes knikken. Dit moet 'm worden.

‘Prima, dan zal ik de brief in het Engels vertalen,’ zegt Luc en hij gaat achter zijn laptop zitten.

‘Weten we zeker dat hij Engels kan lezen?’ vraagt Gertie zich hardop af, om onmiddellijk de telefoon te nemen en oma Jozien te bellen.

‘Ja, hij kan Engels lezen,’ weet ze even later te melden.

Luc vertaalt de brief en een uurtje later lopen de gezusters samen naar de brievenbus.

Tijd voor een plechtig momentje.

‘Dames en heren …’ begint Frieda met een zware stem.

‘Vandaag, dinsdag 2 januari, begint de zoektocht naar …’ gaat Gertie verder

‘De Spaanse opa!’ roepen ze allebei tegelijk.

Na een gezamenlijk ‘een-twee-drie’ laten ze de brief in de brievenbus ploffen.

‘Als ze er maar geen rotjes ingooien,’ merkt Frieda op.

Gertie schrikt. Dat heeft ze vorig jaar gehoord, dat mensen dat deden in de tijd rond Nieuwjaar. Voor de grap, zogenaamd.

En dus gaat Gertie die dag nog wel vier keer kijken of de brievenbus nog heel is. De laatste keer is na het avondeten. ‘Mam, ga je mee een straatje om?’

Haar moeder weet niet wat haar overkomt. Dat wil Gertie anders nooit. ‘Hoe zullen we lopen?’ vraagt ze als ze even later de voordeur achter zich dichttrekt.

‘Langs de brievenbus.’ Gertie laat er geen misverstand over bestaan.

‘Lijkt me bijzonder spannend, een rondje brievenbus,’ plaagt Mar.

‘Even checken of niet een of andere oen er vuurwerk in heeft gegooid.’

‘Laat mij nou gedacht hebben dat je gewoon lekker even met mij wilde kletsen onder het lopen.’

Gertie trekt Mar ongeduldig aan haar arm. ‘Ja, ja, dat doen we zo wel, maar eerst even langs de brievenbus.’

Ze zien het busje van de post net wegrijden. De brievenbus is net geleegd. Nu is het dus officieel: de brief is onderweg naar de onbekende opa in Spanje.

Een week of twee later, als de feestdagen voorbij zijn, is Gertie op haar kamer bezig met haar verzamelkast. Het meeste is nu wel ingeruimd. Alleen de ideeëndoos nog en de potloodpuntenverzameling. Ze heeft een nieuw verzameldoosje vol, dus het wordt hoog tijd om haar potloodpunten weer eens op kleur te sorteren. Nu de potloodpuntenclub niet meer bij elkaar komt, doet Gertie zelf ook nog maar weinig met haar verzameling. Van de Spaanse opa heeft nog niemand iets gehoord. Elke dag rent Gertie als ze uit school komt direct naar de brievenbus. Maar helaas: niks. Oftewel: *nada*. Dat is Spaans voor niks.

Als ze de deurbel hoort, rent Gertie nieuwsgierig – en dus vliegensvlug – naar beneden om de deur open te maken. Ze springt van de laatste twee treden van de trap en rent zo vlak voor Mar de gang in.

‘Hé, rustig jij, nieuwsgierig aagje,’ moppert die. Maar Gertie neemt niet eens de tijd om te reageren en doet snel de deur open.

Er staat een meneer op de stoep, met een grote tas in zijn ene hand en een map in zijn andere.

'Goedemiddag, jongedame,' zegt hij vriendelijk tegen Gertie en hij maakt er zowaar een buiginkje bij. Gertie moet giechelen.

'Goedemiddag, mevrouw,' de man lacht nu ook naar Gerties moeder. 'Ben ik hier goed? Mijn naam is Simon Draaijer van Huize Petronella. Ik heb een afspraak met de heer Hubertus Knoppen.'

'U bedoelt Huupie Knoppen? Die woont hiernaast,' zegt Gertie en ze kijkt omhoog naar haar moeder. 'Toch, mam?'

'U bent wel goed, meneer. Hij is hier, komt u binnen. Ik ben Mar van Dijk, zijn buurvrouw,' stelt zij zichzelf voor. 'Gertie, ga je even aan de kant, dan kan de meneer binnenkomen.'

Gertie gaat op de trap staan. Als ze op haar tenen staat en zich over de trapleuning buigt, kan ze door het glas aan de bovenkant van de deur kijken. Ze ziet dat de mannen zich aan elkaar voorstellen. Meneer Petronella gaat zitten, maakt zijn map open en haalt er wat papieren uit. Mar brengt koffie en gaat bij de beide mannen aan tafel zitten. Wat gek. Waarom krijgt Huupie bezoek bij haar thuis? Wat zei die man nou: Petronella? Wie heet er nou Petronella?

Gertie ziet het drietal praten, maar ze kan helaas niet verstaan wat er gezegd wordt. Dus loopt ze zachtjes de trap weer af en ze drukt haar oor tegen de deur.

Frieda komt juist op dat moment terug van haar atletiektraining en ze moet lachen als ze Gertie zo ziet staan. 'Wat doe jij nou?'

'Ssst!' Gertie legt haar vinger op de mond. 'Ik probeer te verstaan wat ze zeggen.'

'Wat wie zeggen?' Frieda gaat op haar tenen staan en kan zo net door het glas van de deur naar binnen kijken. 'Wie is die man?'

'Stilletjes nou, straks horen ze dat we hier zitten.'

'We? Jij zit hier, ik kom gewoon binnen. Wie is die man?' reageert Frieda geïrriteerd, maar gelukkig praat ze nu wel zachtjes.

Gertie haalt haar schouders op. 'Ik weet het niet, Petronella, zei hij.'

'Gek, een man heet toch niet Petronella? Dat is een vrouwennaam.'

'Dat weet ik ook wel. Hij heet Simon nog wat, maar hij is van Petronella.'

'Van het bejaardentehuis?'

'Van het bejaardentehuis? Wat moet die nou hier met mama en Huupie?' Gertie snapt er niks van.

Frieda wel.

'Dat lijkt me wel duidelijk: Huupie gaat naar het bejaardentehuis.'

Dat nieuws slaat bij Gertie in als een bom. Bleek en stilletjes gaat ze weer terug naar haar kamer. Ze gaat op de vensterbank zitten en kijkt naar buiten. In de tuin staat de boompaalhut: een idee van Huupie. Vanuit de hut kan ze in de keuken van Huupie kijken. Als hij daar de krant zit te lezen, kijkt hij af en toe op en dan zwaaien ze naar elkaar. Als Huupie niet meer hiernaast woont, wie komt er dan wel wonen? Misschien mag Gertie dan niet meer in de hut. Misschien komt er wel een heel vervelende meneer wonen, die elke dag het onkruid wiedt en het gras met een nagelschaartje knipt. Misschien heeft die wel een hekel aan kinderen en maakt hij een heel hoge schutting. En wat als haar bal dan over de schutting valt en in de tuin van de nieuwe buren terechtkomt? Nu kan ze dan gewoon over het hekje klimmen en de bal halen. Misschien krijgt ze straks haar bal niet eens meer terug.

'Nee, dit is geen goed nieuws,' zegt ze tegen Kuusj.

Dan hoort Gertie meneer Petronella afscheid nemen. Als de voordeur dicht is, staat Gertie op en loopt ze langzaam naar beneden.

Haar moeder en Huupie zitten nog steeds samen om de tafel te praten. De deur staat open. Gertie hoort haar moeder tegen Huupie zeggen dat het een goede beslissing is.

'Ik weet het, Mar, ik weet het. Maar het voelt nog niet helemaal goed. We hebben hier meer dan veertig jaar gewoond, dit is ons huis. En hoe moet dat nu met de verhuizing, en met onze spullen?'

Het is dus echt waar. Huupie gaat verhuizen.

'En hoe moet dat nu met mij?' Gertie staat met haar beide handen in de zij. Ze is boos, dat is overduidelijk. 'Ik heb toch al geen opa, en nu ga jij ook nog weg,' roept ze en dan stormt ze naar buiten, naar haar boompaalhut, waar ze de rest van de middag blijft mokken.

Gerties ouders praten die avond uitgebreid met hun kinderen en ze proberen zo goed mogelijk uit te leggen wat er met Huupie gaat gebeuren. Hij gaat niet naar het bejaardentehuis, maar naar een appartement ernaast.

'Huupie kan nog heel veel en is nog goed gezond, dat is absoluut waar. Maar hij is erg eenzaam, zo alleen in dat grote huis. Bij Petronella vindt hij vrienden van vroeger terug en dan kunnen ze samen dingen doen.'

Ook al is Gertie nog steeds boos en verdrietig, ze begrijpt het allemaal wel wat beter. Ze gaat meteen naar Huupie toe om hem dat te vertellen. Huupie is heel blij dat te horen, want hij was erg geschrokken van haar reactie.

'Wanneer ga je verhuizen?'

Maar dat weet Huupie nog niet.

'Denk je dat ik de boompaalhut moet afbreken?' vraagt ze even later zachtjes.

'Waarom zou je die moeten afbreken?' Huupie kijkt haar vragend aan.

'Omdat ...' begint ze. Maar ze maakt haar verhaal niet af. Opeens lijkt haar gepieker over boze buurmannen met nagelschaartjes en ballen die niet meer teruggegeven worden eigenlijk behoorlijk overdreven. 'Ach, zomaar.'

8 De ontmaskering van de Spaanse opa

Januari gaat voorbij zonder een reactie van de Spaanse opa.

En ook in februari komt er geen bericht uit Spanje.

Gertie, Frieda en hun ouders hebben afgesproken dat ze hem drie maanden de tijd geven om te reageren. 'Als hij niet reageert op onze brief, dan zegt dat ook genoeg,' is hun argument.

Gertie heeft zo haar twijfels. Misschien hebben ze in Spanje wel een rotje in de brievenbus gegooid of is de postbode met zijn fiets in het water gevallen. Of zo. Je weet het niet, hè?

Maar Luc heeft alle vertrouwen in de Spaanse postbodes. Hij laat zich niet van de wijs brengen: 'Meisje, afspraak is afspraak. Hebben we 4 april geen reactie, dan kopen we een grote taart en zetten we een heel dikke punt achter die Spaanse opa.'

Het huis van Huupie staat nu al een paar weken te koop. Eind april komt er bij Petronella een appartement vrij. Met Petronella is afgesproken dat Huupie wel alvast twee dagen in de week op bezoek komt.

'Om even te oefenen zeker?' zegt Gertie. 'Dat ging bij mij ook zo, toen ik voor het eerst naar de kleuters ging.'

'Om te oefenen, dat zeg je goed,' Huupie is doodmoe van zijn eerste oefendag.

'Vond je het leuk?' wil Gertie weten.

'Tja,' Huupie wrijft langzaam over zijn kin, 'ik weet het nog niet zo.'

'O, maar dat is helemaal normaal, hoor! Probeer het eerst maar eens een tijdje en dan praten we wel verder. Hier moet je gewoon even doorheen.'

Huupie grinnikt om Gerties bemoedigende woorden. 'Je hebt vast gelijk, Gertie,' gaapt hij, 'maar als je het niet erg vindt, ga ik even een dutje doen.'

Geloof het of niet, maar precies op de dag dat de familie Bemelmans-van Dijk het hoofdstuk 'de Spaanse opa' wil afsluiten, brengt de postbode een grote envelop uit Spanje. Luc haalt de brief uit de brievenbus als hij terugkomt van de bakker. Met in zijn ene hand een lekkere taart en in zijn andere hand de Spaanse brief, loopt hij de keuken in. De afzender is een advocatenkantoor in Málaga, Spanje. Duidelijk geen gezellige opa brief, maar een officieel schrijven.

De meisjes en Mar zijn zojuist vertrokken om oma Jozien van het station te halen. Zij weten dus nog van niks.

Onderweg naar het station sluiten de meisjes weddenschappen af: wat is oma's lievelingskleur op dit moment? Dat is altijd weer een verrassing. Oma Jozien verandert regelmatig van favoriete kleur. En dat zie je dan overal in terug: in haar kleren, in haar sieraden, zelfs de kussentjes en de dekbedovertrekken moeten eraan geloven. En denk maar niet dat er in een groene periode oranje mandarijntjes op de fruitschaal liggen …

'Wedden dat het wit is?'

'Ik denk blauw. Mam, wat denk jij?' Gertie trekt aan Mars mouw.

'Ik denk helemaal niks. Met oma weet je het maar nooit, dus ik laat me lekker verrassen.'

Als de trein het station binnenrijdt, rennen de meisjes langs de wagons. 'Wie het eerste oma ziet' is nog steeds een leuk spelletje.

'Rood!' roept Gertie.

'Zwart!' gilt Frieda op precies hetzelfde moment.

Ze hebben oma allebei tegelijkertijd gezien: ze draagt een lange zwarte jas, sjaal en handtas, máár … ze heeft knalrood haar.

'Oma, je bent twee kleuren!' gilt Gertie.

'Ja. Ik dacht: kom, ik doe eens gek.'

'Kan dat ook dan?'

'Alles kan, als je maar wilt.'

Lachend en druk kletsend lopen de vier meisjes – dat zei oma – naar de auto.

'Weet je dat ze tegenwoordig weddenschappen afsluiten over jouw kleur van het moment?'

Oma Jozien giechelt. 'En of ik dat weet. Gertie probeert dat via mail met allerlei slinkse vragen te achterhalen!'

Luc staat de dames bij de voordeur al op te wachten. Hij trekt zijn vrouw en schoonmoeder onmiddellijk de keuken in.

'Twee minuutjes,' zegt hij tegen zijn dochters, 'het moet even.'

De meisjes protesteren hevig, maar hun vader is onverbiddelijk.

'Zo meteen taart, nu even twee minuten.'
Tien minuten later komt het drietal eindelijk naar buiten. Luc heeft de taart in zijn handen, Mar de koffiepot en oma draagt het dienblad.

'Lange twee minuten, hoor!' Frieda en Gertie zeggen het allebei tegelijk.

'Taart dus!' zegt Luc, die doet alsof hij niks gehoord heeft.

Als iedereen wat te drinken en een stuk taart heeft, vraagt hij even de aandacht.

'Dames ...' zegt hij en hij laat even een stilte vallen. Pas als iedereen naar hem kijkt, gaat hij verder. 'Bij een officieel moment hoort een officiële taart! Het is vandaag 4 april. De dag dat we een punt willen zetten achter de zoektocht naar de Spaanse opa. We hebben niks uit Spanje gehoord ...' Nog zo'n stilte. 'Tot vanochtend.'

En hij laat de grote envelop zien.

Gertie verslikt zich in haar drinken en Frieda laat haar vorkje uit haar handen vallen.

'O, daarom duurde het zojuist zo lang!'

'Wat schrijft hij?'

'Wanneer komt hij?

'Lijk ik op hem?'

De meisjes roepen door elkaar.

'Kom even zitten.' Oma Jozien trekt Gertie en Frieda naast zich op de bank. 'Het is niet zo'n leuke brief.'

En onmiddellijk houdt iedereen zijn mond weer.

Luc Bemelmans schraapt zijn keel. 'Het is een brief van een Spaanse advocaat. Om een lang verhaal kort te maken: meneer Pedro Perez wil absoluut geen contact met zijn zogenaamde familie in Nederland. En hij vraagt om hem vooral niet langer lastig te vallen met die flauwekul.'

Het is doodstil.

Het duurt precies elf seconden voordat Frieda reageert. 'Meneer vindt het allemaal maar flauwekul? Oké, dat is dan duidelijk. Daar missen we dus niks aan.' Frieda heeft haar oordeel meteen klaar. Voor haar is het overduidelijk: dan niet, man!

Maar Gertie? Hoe zit het met Gertie? Juist zij wilde haar Spaanse opa zo graag gaan zoeken. En vinden! Zij had hele fantasieën over die onbekende man, die misschien wel een hele bende Spaanse ooms en tantes en neefjes en nichtjes zou meebrengen.

Gertie begint te huilen. Hard. Heel hard.

'Meisje toch,' zegt Mar, 'ben je zo verdrietig?'

'Verdrietig? Ver-drie-tig?' Gertie springt op en veegt haar tranen met een wild gebaar af. Haar ogen spuwen vuur. 'Wie denkt die Spaanse oelewapper wel dat hij is?'

Haar vader kan er niks aan doen. Hij moet gewoon lachen. En hij lacht zo aanstekelijk dat ze allemaal de slappe lach krijgen.

Helemaal als oma Jozien haar koffiekopje omhooghoudt en 'olé' roept.

Het wordt toch nog een heel gezellige dag. Te pas en te onpas roept er iemand 'olé' en dan wordt er flink geschaterd. Op de wijs van *Happy Birthday* maken ze een liedje: *Adios Pedro*. De tekst schrijft Gertie snel op, die wil ze absoluut bewaren.

Adios Pedro,
jij bent maar zo zo.
Adios Pedro,
je komt niet, no no.

We wilden je leren kennen,
maar dat hoeft nu niet meer.
Daar kunnen we best aan wennen,
je bent toch geen toffe peer.

Gertie wil Huupie gaan vertellen wat er allemaal is gebeurd. 'Dat mag toch wel?' vraagt ze.

'Natuurlijk mag dat. Vraag maar of hij straks een hapje mee wil eten,' antwoordt Luc.

Gertie rent meteen naar buiten. Zonder kloppen stormt ze bij haar buurman naar binnen.

'Ha, daar is onze Gertie,' zegt die. 'Kom binnen, ik ben toch net toe aan pauze.'

'Wat ben je aan het doen dan?' Gertie kijkt rond. Het is een enorme rommel in de woonkamer van Huupie. Dat is ze niet gewend. Het is er juist altijd heel netjes.

'Beetje aan het opruimen, maar het schiet niet echt op. Ik heb de fotoalbums van zolder gehaald. En dan moet je er gewoon in gaan kijken, dat kan niet anders.'

'Het is een vreemde dag vandaag,' zegt Gertie.

'Dat heb ik begrepen,' antwoordt Huupie, 'je vader heeft me al verteld over de brief uit Spanje.'

'Hij weet niet wat hij mist,' zegt Gertie verontwaardigd.

Huupie had het niet beter kunnen zeggen.

Gertie gaat aan tafel zitten en trekt het fotoalbum naar zich toe om de foto op de opengeslagen bladzijde eens goed te bekijken.

'Ben jij dit?' vraagt ze. Ze ziet een man en een vrouw gearmd. Zij draagt een hoedje en handschoenen, en ze heeft een boeketje bloemen in haar hand. Hij heeft een net pak aan.

'Onze trouwfoto,' knikt Huupie.

'Jullie kijken ernstig, maar jullie ogen stralen,' merkt Gertie op.

'Het was de mooiste dag van mijn leven,' grinnikt Huupie, 'maar dat wist ik op dat moment nog niet. Ik vond het toen best een beetje eng.'

Samen bladeren ze door de fotoalbums. En dan ziet Gertie plots een foto van Huupie met een baby in zijn armen.

'Wie is dat?'

'Kijk eens goed. Herken je haar niet?'

Gertie schudt haar hoofd. Maar dan herkent ze op de achtergrond de kast bij haar thuis.

'Dat is bij ons thuis. Ben ik dat?'

'Nee, dit is Frieda, maar ik heb bijna dezelfde foto met jou erop,' Huupie bladert door het album en stopt bij een foto waarop Gertie heel duidelijk kleine Frieda herkent. Die zit op de bank naast Huupie, die weer een baby vasthoudt.

'Dít ben jij,' wijst Huupie.

Gertie kijkt gefascineerd naar de foto.

'Dus jij kent ons al ons hele leven?'

'Vanaf de allereerste dag.'

Alles duizelt om Gertie heen. Haar Spaanse opa wil haar opa niet zijn. En nu pas heeft ze het in de gaten: al die tijd dat zij een opa miste, woonde die eigenlijk gewoon naast haar. En eigenlijk is hij altijd al haar opa geweest.

'Aha, je hebt het door?' Huupie lacht naar haar. Gertie knikt fanatiek met haar hoofd. En of ze het doorheeft!

'Het duurt even, maar dan heb je ook wat,' lacht ze. 'O ja, of je ook kwam eten?'

'Met alle plezier.'

Samen lopen ze even later druk kletsend naar het huis van Gertie. Gertie gooit de keukendeur open.

'Niks geen Pedro zo zo, hoera voor Huupie-opa!' roept ze keihard.

Huupie staat er wat verlegen bij, maar Gertie trekt hem mee naar binnen.

'Aan zo'n stomme Spanjool heb je niks. Wat moeten wij sterke vrouwen nu met zo'n slappe kerel?'

'Olé,' roept oma Jozien.

'Olé,' antwoordt de rest van de familie. Mar proost met het glas wijn in haar hand.

'Jij ook een wijntje, Huupie?'

'Oké.'

'Nee, Huupie,' verbetert Gertie, 'vandaag is alles "olé".'

9 Druk, druk, druk

'Pap, wanneer ga je mijn schilderijtjes eens ophangen? En het achterlicht van mijn fiets doet het nog steeds niet.'

Gertie loopt achter Luc aan naar de keuken. Het is vrijdag. Luc Bemelmans werkt vier dagen per week en op vrijdag heeft hij altijd vrij. Of beter gezegd: had hij altijd vrij. Want de laatste tijd, een paar maanden misschien al, is hij steeds vaker toch stiekem aan het werk op zijn vrije dag.

'Vroeger ...' Gertie zegt het heel overdreven. 'Vroeger gingen we op vrijdag leuke dingen doen samen. Toen maakte je nog eens een speurtocht voor me of bakten we taarten en zo. Maar nu ben je alleen nog maar aan het werk.'

Gertie is daar niet zo blij mee, dat is wel duidelijk.

'Wat zeg je, schat?'

'Pap, je luistert niet eens. Potverdriekonijnenineenhol, wij moeten eens een hartig woordje met elkaar spreken!'

'Liefje, volgens mij zeggen vaders dat tegen hun dochters en niet andersom. En wat is dat voor een raar woord met die konijnen?'

'Ja, goed hè? Beter toch dan al die scheldwoorden die de jeugd van tegenwoordig gebruikt.'

'De jeugd van tegenwoordig? Laat me raden. De jongens van groep vijf?'

'En groep zes en zeven en acht ... Verschrikkelijk zijn ze, pap, zo vreselijk irritant en zo zielig. Zij vinden zichzelf heel erg stoer, maar ik vind ze heel erg anti-stoer.'

'O ja?'

'Weet je dat Steijn voor zijn verjaardag een mobieltje heeft gekregen? En dan niet de oude telefoon van z'n vader of zo, maar de allernieuwste, allerhipste en allerduurste uit de winkel.'

'O ja?'

'Zodra de school uit is, zet hij zijn mobiel aan om te kijken of iemand hem gebeld heeft. En weet je wat ik hem vorige week heb gevraagd?'

'Nee.'

'Of er ooit al eens iemand gebeld had ...'

'En toen?'

'Toen zei hij: "Nee, want niemand van mijn vrienden heeft een mobieltje." Wat heb je er dan aan, vroeg ik hem toen.'

'O ja?'

'Ja. "Nou, gewoon, het is toch cool?" antwoordde hij. Cool? Ammehoela!'

'Oké, je standpunt is duidelijk. Maar we hadden het over iets anders, geloof ik.'

'Ja. Het is toch niet eerlijk dat je op je vrije dag nog steeds moet werken? Je bent vaak op reis, je bent 's avonds pas laat thuis. En als je thuis bent, ben je moe.'

'Tja,' Luc haalt zijn schouders op, 'het is inderdaad druk, druk, druk de laatste tijd. Ik baal er ook van dat we hier in huis niks meer gedaan krijgen.'

'Mijn schilderijtje, mijn achterlicht ...' begint Gertie weer met opsommen.

'En dan heeft Frieda nog een heel wensenlijstje, en je moeder natuurlijk ook. En ikzelf wil ook nog wel wat klussen doen,' gaat Luc zuchtend verder.

'En de tuin moet weer eens gedaan worden,' doet Gertie nog een duit in het zakje, 'misschien moet je eens een tuinman bellen, pap.'

Luc knikt. 'Misschien moeten we dat maar eens doen, ja.'

'Hoelang duurt die drukte nog, pap?'

'We zitten nu midden in een belangrijk project, maar het einde is in zicht.'

'Hoelang nog?'

'O, je wilt een deadline horen?'

'Een deadline?'

'Een einddatum.'

'Ja, inderdaad. Wanneer houdt het op?'

'Moeilijk, moeilijk,' Luc wrijft met zijn hand over zijn kin. 'En als ik nu een datum roep dan zit ik er natuurlijk aan vast.'

'Zeker weten.'

'Mag ik er in dat geval nog even over nadenken?'

Gertie heeft al weer genoeg gehoord. Daar kun je toch niks mee met zulke vage beloftes? Opvallend toch hoe grote mensen het altijd zo weten te regelen dat ze net niks beloven. Meester Jean-Pierre deed het laatst ook weer. Rekenen is Gerties lievelingsvak, altijd al geweest. En ze is er ook nog eens heel goed in ook. Zo goed zelfs dat de sommen van groep vijf eigenlijk iets te makkelijk zijn voor haar. En dus verveelt ze zich tijdens de rekenles. Gertie vertelde dat aan de meester, maar hij kon zich er niks bij voorstellen: een meisje van vijf dat al twee klassen heeft overgeslagen en dan nog steeds de sommen te gemakkelijk vindt.

'Daar heb ik nog nooit van gehoord,' was het enige commentaar.

'Maar ík zeg het nu toch?' Gertie had al haar moed verzameld om hem dat te zeggen.

'We zullen wel zien.' En daar moest Gertie het mee doen.

Gertie heeft hem maar niet nog een keer verteld dat ze toch heus al echt waar zes jaar is geworden. Wat heeft het voor een zin? Die man vergeet alles. Nee, een echt hoge pet heeft ze niet op van haar meester. Meester Jan-Piet noemt ze hem wel vaker. In gedachten dan. Meester-Jan-Piet-weet-het-weer-eens-niet.

Gertie hoort haar vader bellen.

'Over vier weken pas? U komt niet eens eerst naar de tuin kijken? En hoeveel gaat dat kosten? Met hoeveel mensen?'

Als hij ophangt, komt hij in de stoel naast Gertie zitten.

'Die zijn gek.'

'Wie?'

'Die tuinmannen. Ook al druk: over een week of vier hebben ze misschien nog een middagje tijd voor ons vrij. En dan vragen ze ook nog bedragen waar je niet goed van wordt. Ik heb maar even om bedenktijd gevraagd.'

'Kun je ook nog even sparen, pap,' antwoordt Gertie.

Bij Huize Petronella is het allesbehalve druk, druk, druk. Huupie is er eind april naartoe verhuisd en hij heeft het er naar zijn zin. Tussen Huupie en de familie Bemelmans is eigenlijk niks veranderd: hij haalt op maandag nog steeds Gertie uit school en op vrijdagen wordt er geborreld en samen gegeten. Gertie gaat vaak bij hem op bezoek, want het is nog steeds maar twee straten verderop.

Als Gertie die dag na school binnenhuppelt, zitten de opa's met z'n allen om de tafel te wachten op het eten. Huupie heeft snel vrienden gemaakt, hij zit meestal met dezelfde mannen aan tafel. Gertie kent ze ook al allemaal: meneer Boerman, meneer Van der Velden, François Leclerc – die ze oom François mag noemen – en meneer Van de Wester.

'Wat is het hier stil,' merkt Gertie op en ze kijkt de tafel rond. De opa's zitten een beetje te suffen. 'Kom op, mannen! Het is lente, de vogeltjes fluiten: allemaal naar buiten!' Gertie probeert de sfeer wat op te peppen, maar het lukt niet echt.

'Ja, lente,' zucht meneer Boerman, 'vroeger vond ik dat leuk, ja.'

'Vroeger hadden we tenminste iets te doen in deze tijd. Ik vond dat altijd een heerlijke tijd, die eerste zonnedagen.'

'Als je dat maar weet,' beaamt meneer Van der Velden. 'Het was de drukste, maar ook de mooiste tijd van het jaar.'

'Ik weet dat nog goed.' François Leclerc gaat rechtop zitten. 'In het begin van de lente kwam alles weer tot leven: de natuur, maar ook de mensen. In mijn kledingzaak kwamen rond die tijd alle dames een nieuwe jurk uitzoeken en die moesten we dan 's avonds vermaken en thuisbezorgen. Mooie tijden waren dat.'

'Vermaken? Wat is dat nou weer, meneer Leclerc?' vraagt Gertie.

Meneer Leclerc moet smakelijk lachen om Gerties vraag. 'Zeg maar oom François, hoor! Vermaken betekent op maat maken. Je weet wel, de zoom iets korter maken en de taille ietsje innemen voor de slankste dames, of juist een beetje breder maken voor de iets minder slanke dames.'

'Ja, en vergeet niet de voorjaarsschoonmaak!' roept meneer Van de Wester.

De mannen knikken. Gertie heeft die verhalen al vaker gehoord. Niet van haar eigen oma, want die doet niet aan dat soort huisvrouwentoestanden, maar van Huupie en de andere opa's. Die vertellen veel en vaak over vroeger, en Gertie vindt dat machtig interessant. Dát is pas geschiedenis, vindt ze, en niet die saaie informatie over vroeger van meester-Jan-Piet-weet-het-weer-eens-niet. Ze had zich zo verheugd op de nieuwe vakken dit leerjaar, op nieuwe dingen leren, maar het blijkt allemaal vreselijk oninteressant te zijn. Gertie luistert veel liever naar de opa's.

'Als het tijd was voor de voorjaarsschoonmaak, dan kon je beter van huis wegblijven. Want voor je het wist, had het vrouwtje je gestrikt en liep je ook met een schortje om en een zwabber in de hand.'

Gelach alom aan de tafel.

'Ik zei altijd: jij zorgt voor het huishouden, ik zorg voor de centen. En dat werkte prima, zolang we ons niet bemoeiden met het werk van de ander.'

'Je liep toch maar in de weg, en als je iets deed ...'

'Dan was het toch nooit goed genoeg!' vullen de andere mannen samen aan. Daarna moeten ze allemaal erg hard lachen.

'Ja, vroeger ...' en dan verzinken de mannen weer in hun gepeins en wordt het weer rustig aan de opa tafel.

'Nou, hier word ik ook niet vrolijk van!' moppert Gertie. Ze neemt afscheid en vertrekt. 'Thuis is het druk, druk, druk. En hier is het suf, suf, suf.'

Luc vertelt 's avonds in geuren en kleuren over zijn pogingen om een tuinman te strikken. Hij heeft er wel vijf gebeld, maar allemaal hadden ze ongeveer hetzelfde verhaal: er zijn helaas nog vele wachtenden voor u.

'En de bedragen die ze durven te vragen ... niet normaal meer.'

'En dus?' vraagt Gerties moeder.

'En dus zullen we het zelf moeten doen.'

'Zet maar op het lijstje.'

'Is al gebeurd!'

Gertie en Frieda kijken elkaar aan. Ze weten precies wat dat betekent: dat wordt dus niks.

'En de tuin van Huupie dan?' vraagt Gertie, 'Die zouden jullie toch ook een beetje bijhouden?'

'Klopt, maar dat hoeft niet meer,' antwoordt Luc.

'Hoezo dat hoeft niet meer? Afspraak is afspraak, papa. Als je iets belooft, moet je het ook doen.'

'Snoepje, dat weet ik ook wel, maar het huis is verkocht. Vlak voor de zomervakantie komen de nieuwe mensen. Huupie heeft het me gisteravond verteld.'

'Aan wie is het huis verkocht?'

'Komen er ook kinderen wonen?'

'Zijn het leuke mensen?'

'Heb je ze al gezien?'

Gertie en Frieda schreeuwen om het hardst.

'Voor hoeveel geld is het huis verkocht?' wil Gertie ook nog weten.

Luc gooit zijn handen omhoog: 'Dames, dames, heb medelijden met mij. Ik weet helemaal niks, en Huupie weet ook helemaal niks. Het enige wat hij weet, is dat de nieuwe mensen er vlak voor de zomervakantie in komen wonen.'

'Maar hij had toch wel even wat meer dingen kunnen vragen?' Gertie is flink verontwaardigd. En voor een keer is Frieda het met haar eens.

Diezelfde avond kan Gertie niet goed slapen. Dat heeft ze de laatste tijd wel vaker. Ze heeft zo veel dingen om over na te denken! Het dagboek, dat ze van oma Jozien heeft gekregen, houdt ze aardig goed bij: niet elke dag, maar wel heel geregeld. En wat eerst begon met een paar zinnetjes per dag, is nu een echt boekwerkje aan het worden. Het werkt vaak zoals haar ideeëndoos: schrijf je het op, dan hoeft het niet meer in je hoofd te zitten. Maar vandaag heeft het niet veel geholpen en dus ligt ze nu in bed te piekeren.

Een echte vriendin heeft ze nog steeds niet gevonden. Vervelend, maar tegelijkertijd ook wel gemakkelijk, vindt Gertie. Ze vindt het maar knap vermoeiend om af te spreken en dan te overleggen wat ze moeten gaan doen en hoe en met wie en hoe lang en zo. Bovendien is ze helemaal niet eenzaam of zo. Op school speelt ze vaak mee op de speelplaats. En als ze geen zin heeft, dan niet.

Mar vindt dat ze er weinig moeite voor doet, maar Gertie is het daar niet mee eens. Wat heb je nou aan een vriendin die maar een beetje je vriendin is? Voor de perfecte vriendin heb ik wel wat over, denkt Gertie. Voor een échte vriendin wil ze heus wel moeite doen. Maar om zo af en toe eens samen te spelen, dat is alle heisa eigenlijk niet waard. Haar moeder zegt dan dat een perfecte vriendin niet bestaat, omdat niemand perfect is. Gertie haalt haar schouders op. Dan niet!

Gerties hoofd is vol: vol met de nieuwe buren, vol met de suf, suf, suffe opa's in het bejaardenhuis, vol met het druk, druk, drukke leven van haar ouders, vol van het lijstje met klussen dat alsmaar langer wordt …

En dan begint Gertie plots te schateren van het lachen. Het ligt ook zo vreselijk voor de hand! Het is gewoon een kwestie van problemen combineren.

Als haar ouders een uurtje later naar bed gaan, zien ze bij Gertie het licht nog branden. 'Hé, ukkepuk, wat is dit? Weet je wel hoe laat het is?'

'Papa, ik heb de oplossing voor alle problemen!'

'Hé, is dat niet mijn tekst?' vraagt Mar. 'Mama: de oplossing voor al uw problemen?'

'Ha ha.'

'Fijn dat je de oplossing voor alle problemen hebt, Gertie. Maar weet je dan ook de oplossing voor het probleem dat ik jou morgen je bed niet uit krijg?'

Luc doet het lampje uit.

'Gewoon flink rammelen, pap,' gaapt Gertie. 'Je moet gewoon flink rammelen.'

'Dat zal ik zeker doen, en nu slapen jij.'

Maar of Gertie dat nog gehoord heeft?

10 De oplossing voor alle problemen

Raar maar waar, als Luc de volgende ochtend aan Gertie wil komen rammelen, staat zij al volledig aangekleed naast haar bed. Stomverbaasd staart hij naar zijn jongste dochter, die fluitend haar veters aan het strikken is.

'Ook goedemorgen! Wat een actie op de vroege ochtend, kan het misschien wat minder?'

'Nee, sorry, vandaag niet, want ik heb de oplossing voor alle proble-he-he-men,' zingt Gertie vrolijk.

'En wat is die oplossing dan?'

'En dat i-hi-hi-his nog even ge-hei-hei-hei-heim ...'

Op school gaat Gertie meteen naar meester Jean-Pierre.

'Leuk, aardig, zou kunnen, maar daar ga ik niet over. Dat zul je met de directeur moeten regelen. Loop maar even bij hem langs.'

Misschien ook maar goed ook, denkt Gertie. Want voordat meester Jean-Pierre eens iets geregeld heeft, is het schooljaar al weer voorbij.

Als ze aankomt bij het kantoortje van de schooldirecteur, meester Jules, gaat net zijn deur open.

'Hé, Gertie, sta je op de bus te wachten of kom je voor mij?'

Gertie giechelt. Het grapje van meester Jules breekt het ijs. Gertie durft haar vraag nu wel te stellen. Meester Jules staat op het punt te vertrekken, maar hij maakt graag wat tijd vrij voor Gertie.

'Je krijgt vijf minuten, heb je daar genoeg aan?'

Gertie knikt, nog steeds een beetje verlegen.

'Vertel.'

'Kijk, meester, het begon gisteren met mijn vader. Die zit de hele tijd te mopperen dat hij nergens tijd voor heeft. En mijn moeder doet daar de laatste tijd ook al aan mee.'

Meester Jules grinnikt. 'Druk, druk, druk … Ik herken het.'

Gertie vertelt verder. Over de tuinmannen die het ook al druk hebben en over het lijstje bij hen thuis. En over de opa's die zich zitten te vervelen in het bejaardenhuis en daardoor suf en duf worden.

'Dat herken ik ook wel,' zegt meester Jules. Hij luistert aandachtig naar Gertie.

'En dus, dacht ik, als we dat nou eens gaan combineren?'

'Combineren?'

'Ja. Als de opa's nou eens komen helpen? Zo worden alle klusjes toch gedaan én hoeven de opa's zich niet meer zo te vervelen. Iedereen blij, toch?'

'Lijkt me geen verkeerd plan, maar welke rol zie je voor de school weggelegd?'

'Op school hebben jullie voor een hoop dingen toch ook geen tijd? En de ouders toch ook niet? Jullie zoeken toch altijd hulpouders voor allerlei zaken?'

Meester Jules knikt. Dat klopt helemaal.

'En ook in de klas …'

'Hoe bedoel je, in de klas?' zegt meester Jules. Hij kijkt op zijn horloge en vervolgt: 'De korte versie dan graag.'

'Ik zal het proberen …' Gertie aarzelt even. Hoe vertel je tegen de directeur dat je de geschiedenislessen van je meester vreselijk saai vindt?

Gertie besluit om het maar gewoon te zeggen.

'Ik vind de geschiedenislessen van mijn meester vreselijk saai. Maar de verhalen van de opa's over vroeger vind ik juist geweldig interessant. En die verhalen staan niet in onze boeken. Kunnen we misschien eens een opa vragen om in de klas iets over vroeger te vertellen? Er zitten een paar heel goede verhalenvertellers tussen. Wist je dat de vader van de vader van meneer Boerman vroeger nog heeft ...'

Maar meester Jules onderbreekt haar. 'Sorry, Gertie, je vijf minuten zijn om. Ik vind het geen slecht voorstel, maar ik wil er nog even over nadenken. En nu moet ik echt naar mijn afspraak. Je weet wel: druk ...'

'Druk, druk ...' maakt Gertie zijn zin af. 'Daar weet ik alles van, meester Jules. Daarom heb ik mijn voorstel voor u op papier gezet. Alsjeblieft!' Gertie overhandigt hem het schema, dat ze vanmorgen nog heeft gemaakt. Meester Jules staart naar een papier vol pijlen en gekleurde vlakken.

'Hoe oud was jij ook al weer?'

'Zes al.'

'Zes pas? Nou, dat belooft wat.'

Gertie vertelt haar idee diezelfde middag ook aan Huupie. Hij haalt haar uit school en onderweg naar huis legt Gertie precies uit wat ze heeft bedacht. Huupie luistert aandachtig naar haar, knikt instemmend en mompelt goedkeurend iets dat lijkt op 'mmm'. Als ze bij de voortuin van Gerties huis staan, heeft Gertie het totale plan uit de doeken gedaan. Huupie kijkt haar aan.

'Gertie, twee vragen. Eén: wanneer beginnen we? En twee: zullen we met mijn tuin beginnen? Ik wil de tuin toch een beetje netjes overdragen aan de nieuwe mensen.'

Enthousiast huppelt Gertie over het pad naar haar voordeur: 'Huupie, twee antwoorden. Eén: vandaag! En twee: ja!'

In het schuurtje staan Huupies tuinspullen nog. Huupie heeft gezegd dat de familie Bemelmans alles mag hebben wat de moeite waard lijkt. Maar Luc heeft natuurlijk nog geen tijd gehad om alles uit te zoeken en op te ruimen. In dit geval komt dat goed uit: de firma *Huupie en Gertie nv, voor al uw klussen* kan meteen aan de slag. En als Frieda een paar minuten later met de fiets uit school komt, helpt ze zowaar even mee.

'Huupie, wat eten we vanavond?' vraagt Gertie.

'Jeetjepeetje,' schrikt Huupie, 'dat is waar ook. Je moeder heeft me gevraagd om boodschappen te doen voor het avondeten.'

'Wat eten we dan?' vraagt Gertie een beetje wantrouwend, want haar moeder wil nog wel eens vreemde dingen op tafel zetten. Al moet Gertie bekennen dat het de laatste tijd wel meevalt met het experimenteren in de keuken. Kijk, dat is dus wel een voordeel van weinig tijd hebben.

'Dat mag ik zelf bepalen,' lacht Huupie. 'Dus ik zat te denken aan kreeftenkoppen met mosseltjessaus op een bedje van verse spinazie met spruitjes en slakkensnot,' plaagt hij Gertie.

Maar die heeft hem onmiddellijk door. Ze hoeft alleen maar naar z'n glinsteroogjes te kijken. 'Huupie, dacht je nou echt dat ik daar nog in trap? Ik ben al zes, hoor.'

'O, nou in dat geval mag jij zeggen wat we gaan eten.'

'Spaghetti met rode saus!' juicht Gertie. Ze begint meteen met het opsommen van alle benodigdheden: 'tomaten, uien, kaas, hamblokjes, spaghetti natuurlijk en voor de oudjes wat sla en zo.'

‘Nou, als jij als wandelend boodschappenbriefje even meegaat naar de winkel, komt dat allemaal goed.’

Later is Gertie samen met Huupie gaan praten met de baas van Huize Petronella, meneer Draaijer.

‘Mijn opa verveelt zich,’ had Gertie gezegd alsof dat de normaalste zaak van de wereld was. En eigenlijk was het dat ook. Opa en Huupie, het liep gewoon allemaal door elkaar. Er was eigenlijk niets tussen hen veranderd: Huupie was nog steeds Gerties beste vriend.

Huupie vertelde dat Gertie een geweldig plan had bedacht en vroeg of meneer Draaijer eventjes naar haar wilde luisteren.

Gertie kuchte even, en stak van wal: ‘Mijn opa verveelt zich hier en de andere opa’s eigenlijk ook wel. Maar mijn ouders en de meesters en juffen op school hebben juist altijd te weinig tijd. Dus mijn plan is om dat slim te combineren. Zo worden de klusjes gedaan en hebben de oudjes iets omhanden.’

‘En wat vinden de – ahem – “oudjes” daarvan?’ vroeg meneer Draaijer. ‘Want zij moeten het vooral zelf willen.’

En of de oudjes het willen! Langzaam maar zeker worden steeds meer mensen enthousiast voor Gerties plan. Huupie regelt het allemaal.

Hij heeft allereerst een tuinploegje samengesteld. Samen maken ze de tuin van Huupie pico bello in orde. Nu hebben ze even pauze, maar als de spierpijn een beetje is verdwenen dan is de tuin van Mar en Luc aan de beurt.

Het nieuws verspreidt zich snel, want er hebben zich al meerdere opdrachtgevers gemeld. Door de posters die Gertie en Huuppie hebben gemaakt, stromen de opdrachten binnen. Mensen die bij de kapper of bij de bakker of op school zijn geweest, komen informeren naar de mogelijkheden. En zelfs de dames van de bieb zijn al langs geweest. Daar moet elk jaar grote schoonmaak gehouden worden en daar kunnen ze een paar extra handen goed gebruiken.
Verder zijn er boodschappendoeners, hondenuitlaters en zelfs twee klusjesmannen. Verschillende opa's en ook al een paar oma's zijn op school komen praten over vroeger. Niet alleen bij Gertie in de klas, overigens. Ook de andere groepen maken dankbaar gebruik van de kennis en de ervaring van 'de oudjes': knutselen, voorlezen, klaaroveren … het loopt allemaal prima.

Meneer François Leclerc, de vroegere kleermaker, heeft het er maar druk mee. Vooral bij de vrouwen van Huize Petronella. Want meneer Leclerc weet natuurlijk wel hoe hij met vrouwen moet omgaan, dat heeft hij als kleermaker immers jarenlang gedaan.

'Het duurt allemaal wat langer, en honderd procent recht is het ook allemaal niet meer, maar dat zoompje maak ik je er nog wel in, hoor,' zegt hij tegen een mooie, opgetutte mevrouw.

'Och, mallerd,' antwoordt zij giechelend, 'alsof ik me nog diep genoeg kan bukken om te zien of dat zoompje recht is, meneer Leclerc.'

Waarop meneer Leclerc onmiddellijk reageert met: 'Zeg maar François, hoor!'

De mevrouw is een paar dagen achter elkaar met een nieuw klusje aan komen zetten, en nu begint het er zelfs op te lijken dat er een kleine verliefdheid aan het ontstaan is.

11 Via de Python naar de Droomvlucht

Het is vrijdag 1 juni. Twee minuten over halfzeven. 's Ochtends, voor alle duidelijkheid. Langer houdt Gertie het echt niet vol. Klaarwakker en vol energie springt ze uit haar bed. Vandaag is eindelijk de dag. Dé dag: de Efteling-dag, de hoogtepunt-van-het-jaar-dag, haar uitgestelde verjaardagsfeestjesdag ... Allerlei namen heeft ze eraan gegeven. Ze heeft er zo lang op moeten wachten!

Luc is door Gerties gestommel ook wakker geworden. 'Heb je nog wel een beetje kunnen slapen vannacht?' vraagt hij. 'Ik hoorde je gisteravond zo woelen in je bed.'

'Hoorde je mij woelen? Maar ik deed het heel stil.'

'Je weet toch dat als je vader of moeder wordt, dat je dan ook meteen betere oren en ogen krijgt?' plaagt Luc. 'Wij ouders horen en zien alles.'

'Ik vind het zo spannend!' roept Gertie.

'Ssstt!' Luc houdt zijn vinger tegen zijn mond en fluistert: 'Het is hartstikke vroeg.'

'Ik weet het,' fluistert Gertie terug, 'maar ik hield het niet meer uit in bed.'

'Dat snap ik wel,' antwoordt Luc, 'dat hoort nu eenmaal bij schoolreisjes, schat.'

'Ik ben zenuwachtig.'

'Ik ook. Het enige wat ik zeker weet, is dat we vanavond allebei doodmoe zullen zijn.'

Gertie is heel erg blij dat haar vader meegaat vandaag. Dat maakt het allemaal wat vertrouwder. Gelukkig heeft hij de meeste vrijdagen weer gewoon vrij.

Al in het weekend heeft Gertie haar kleren klaargelegd.

'Maar je gaat pas vrijdag … Moet dat nu al?' Frieda vond het belachelijk, maar Gertie hield voet bij stuk.

'Je kunt je zaakjes maar beter goed geregeld hebben,' vond ze.

'Gemakkelijke speelkleren,' had Mar gezegd. Maar Gertie wilde graag iets feestelijks aan.

'Het wordt dus een compromis,' besliste Frieda toen ze samen met Gertie voor diens inloopkast stond. 'Een tussenoplossing,' verduidelijkte Frieda toen ze het vragende gezicht van Gertie zag.

Het resultaat? Een oude spijkerbroek met een stoere riem, een hip paars T-shirt met vlinders, en een lekker warm vestje.

Als het aan Gertie zou liggen, zouden ze al om zeven uur naar school vertrekken, maar Luc weet het nog te rekken tot kwart voor acht. Natuurlijk zijn ze de eersten: de meester is er nog niet en de schoolpoort is zelfs nog dicht. Een voor een ziet Gertie de kinderen van haar klas aankomen. Iedereen is opgewonden en vreselijk druk. Als de bus de straat binnenrijdt, begint iedereen hard te juichen. De buschauffeur doet vrolijk mee: hij toetert en zwaait en rijdt de bus voorzichtig tot vlak voor de poort van de speelplaats.

Bij de Efteling is het een drukte vanjewelste. Meester Jean-Pierre heeft onderweg uitgelegd dat de klas in groepjes wordt verdeeld en dat ze elkaar bij de lunchpauze weer treffen. 'Het is niet de bedoeling dat je alleen gaat rondlopen in het park,' zegt meester Jean-Pierre nog eens nadrukkelijk. 'Heren, ben ik duidelijk?' vraagt hij voor alle zekerheid nog maar eens aan Steijn en zijn vrienden.

Gertie is best blij met haar groepje: Sven de buurjongen zit erbij en Edje, Annika, Chantalle en Fiene. En gelukkig gaat Gerties vader met haar groepje mee.

Voor Gertie is het de eerste keer in de Efteling, maar de anderen van haar groepje zijn er al eerder geweest. Zij roepen om het hardst waar je allemaal in moet en wat het leukste is. Gertie kijkt haar ogen uit. Er is zoveel te zien, te veel eigenlijk, en de rest van het groepje loopt zo snel overal langs. 'Wacht even, ik wil hier kijken,' roept ze af en toe, maar dat horen ze niet eens.

Dan blijft de opgewonden meute plots stilstaan.

'Dit is het!' schreeuwt Sven.

Gertie kijkt. 'Dit is wat?'

'De Python, de achtbaan! Kijk, hij gaat juist over de kop,' Chantalle stoot Gertie aan en wijst naar de karretjes, die inderdaad over de kop gaan.

Gertie staat met grote ogen te kijken. Over de kop? Jeetje ... Ze ziet dat de mensen hun armen in de lucht gooien, ze hoort hen gillen, en ze krijgt kippenvel over haar hele lijf. De andere kinderen zijn dolenthousiast. 'Kom, we gaan in de rij staan. Ik wil tien keer!' roepen ze en ze gooien hun rugzakken naar Luc, die ze verzamelt rond een bankje bij de uitgang van de Python.

'Kom, Gertie, ga mee! Die achtbaan is zo stoer!'

Maar Gertie is helemaal niet van plan om mee te gaan.

'Even iets aan mijn vader vragen,' roept ze en ze loopt naar het bankje van haar vader.

Teleurgesteld ploft ze naast hem. 'Papa, zoiets is toch niks voor mij? Dat geschreeuw en dan over de kop en zo … Ik dacht dat we hier naar de sprookjes en zo kwamen kijken, maar daar lopen ze zomaar aan voorbij.'

'Gertie, Gertie, kom nou!' de andere kinderen roepen haar.

'Misschien moet je even vertellen dat je niet wilt?' oppert Luc.

'Dat zal wel moeten, hè?'

Sjokkend loopt Gertie naar haar klasgenoten. Lekker is dat: op het uitstapje dat zij heeft gewonnen, gaan haar klasgenoten dingen doen die zij niet durft en die ze niet eens leuk vindt. Het moest verboden worden. Met hangende schouders en het hoofd omlaag, gaat Gertie de trappen op naar de ingang van de Python.

'Hé, meisje, wat zijn wij van plan?'

Gertie kijkt omhoog naar een meneer in een Efteling-jasje.

'Wat zijn wij van plan?' vraagt de man nog eens.

'Ik wilde naar mijn vrienden …'

'Daar zijn wij een beetje klein voor, nietwaar? Of hebben wij dit bordje dan niet gezien soms?' De man wijst naar een heel groot bord voor de ingang. 'Of kunnen wij misschien nog niet lezen soms?' vraagt de man terwijl hij zich vooroverbuigt naar Gertie. 'Daar staat dat wij groter moeten zijn dan een meter en twintig centimeters. En zijn wij dat? Of moeten wij dat nog even nameten soms?'

Gertie kijkt om zich heen. Nee, er staat echt niemand naast haar of achter haar. Ze begint te giechelen. Wat praat die man raar! De man heeft het steeds over wij, terwijl hij toch echt alleen haar bedoelt.

Als ik dit nu heel graag had gewild, was ik vast woedend geworden, denkt Gertie. Maar eigenlijk komt het haar nu goed uit. Ze kan een grijns dan ook niet onderdrukken.

'Dank je wel, meneer,' lacht ze naar de strenge man. 'Wij zullen er dan maar niet in gaan.'

De Efteling-man kan zijn oren niet geloven. Hij heeft al veel meegemaakt in de Efteling, maar nog nooit een kind dat blij was dat het niet in de Python mocht.

'Sorry, jongens, maar ik mag niet van deze meneer,' schreeuwt ze naar haar klasgenoten, die al bijna aan de beurt zijn.

'Waarom niet?' gillen ze terug.

'Te klein!' gilt Gertie die met haar handen om haar mond een toeter vormt.

'Baaaaalen ...'

'Nou en of ...'

'Tot straks dan ...'

'Veel plezier ...'

En dan stapt het moedige vijftal in de achtbaan.

Breedlachend loopt Gertie terug naar Luc.

'Wij mochten er niet in, wij zijn veel te klein, wij konden nog niet lezen, zei de Efteling-man,' probeert ze te vertellen wat er gebeurd is. 'Dus ik heb niet eens hoeven te vertellen dat wij niet durfden. Komt dat even handig uit. Nu vinden ze me natuurlijk zielig omdat ik op mijn eigen uitstapje niet in de stoerste dingen mag en dus zal iedereen het ermee eens zijn dat we zo meteen iets moeten doen wat ik leuk vind,' ratelt Gertie opgewekt verder. 'Toch pap? En ondertussen kan ik hier eventjes rondkijken, want de rest rende zowat overal langs. Zeg maar dat ze nog twee keer mogen, dan ga ik even dit straatje verkennen.'

En voordat Luc van de verbazing is bekomen, is Gertie al opgestapt. Maar ze komt snel terug.

'Weet je wat? Laat ze maar drie keer gaan en vertel maar dat ik er niet in mocht van die strenge man daar. Geef me de plattegrond even mee, ik ben over een kwartiertje terug.' En weg is Gertie.

Luc realiseert zich een beetje laat dat het niet de bedoeling was dat kinderen alleen het park ingingen. Maar hij weet dat Gertie een kei is in kaartlezen. Dat heeft ze van mij, denkt hij trots.

Haar klasgenootjes vragen waar Gertie is, als ze opgewonden lachend uit de Python komen. Haar vader vertelt het verhaal van de te kleine Gertie nog wat aangedikt. Wat Gertie al voorspelde, komt precies uit.

'O, wat zielig!' Ze zijn het er allemaal over eens: 'Wat een flauwe man, zeg'.

'Ook niet leuk voor haar. Zij heeft toch die prijs gewonnen?'

'Kom, we gaan nog een keertje, het is nu niet zo druk,' roept Sven. En weg zijn ze weer.

Dolenthousiast komt Gertie terug, ze heeft zo veel gezien. Ze is nog lang niet uitverteld als de andere kinderen weer uit de achtbaan komen.

'Dat was zo leuk eng!' roepen ze uit. Ze genieten duidelijk nog na.

Eva roept meteen dat ze nu iets moeten gaan doen wat Gertie leuk vindt. En daar is iedereen het mee eens.

'Als het maar niet in de draaimolen is,' roept Edje, wat hem een stomp oplevert van Chantalle.

'Jongens ...' roept ze terwijl ze met haar ogen draait. 'Die snappen er ook helemaal niks van.'

Gertie geniet van het moment: ze heeft er niet eens zelf om hoeven te vragen. Maar nu is zij dus even de baas.

'De draaimolen? Nee, dat is iets voor kleine kinderen,' zegt ze zelfverzekerd. 'Ik wil naar de Droomvlucht.'

'Maar dat is helemaal aan de andere kant van het park!' protesteert Sven.

'Stevig doorlopen dus. Kom maar mee, ik weet de weg,' en Gertie duwt iedereen een rugzak in de handen.

'Hoe kan zij nou de weg weten?' moppert Edje. 'Ze is hier toch nog nooit geweest?'

'Jongens ...' Gertie wappert met de plattegrond en geeft een perfecte imitatie van Chantalle: 'die snappen er ook niets van.' Iedereen moet lachen, en Gertie vervolgt: 'Kwestie van kaartlezen, jochie, dat leer jij vast ook nog wel als je straks groot bent.'

Het wordt een superdag. Doodmoe maar zeer voldaan loopt groep vijf ten slotte naar de uitgang, waar de bus al staat te wachten. Opschieten dus, volgens meester Jean-Pierre.

'Jongelui!' roept meester Jean-Pierre terwijl hij in zijn handen klapt. 'Hierrr ...'

'Man, ik ben je hond niet,' moppert Steijn.

Gertie giechelt. Steijn heeft eigenlijk wel gelijk. Meester Jean-Pierre pakt het allemaal niet erg aardig aan.

Als de bus vertrekt, vraagt de meester nog even om stilte. Hij zet de microfoon aan, die prompt begint te kraken.

'Test, een, twee, drie,' klinkt de stem van meester Jean-Pierre loeihard door de bus. 'Horen jullie mij luid en duidelijk?'

De kinderen houden hun handen tegen hun oren en gillen dat het veel te hard is. Als de volumeknop terug is gedraaid, gaat de meester verder.

‘Voordat we naar huis gaan, vind ik een bedankje nog wel op z’n plek.’ En hij wendt zich tot Gertie, die bijna vooraan in de bus zit. ‘Lieve Gertie, heeeeeeel hartelijk bedankt voor deze geslaagde dag. Ik denk dat ik namens iedereen spreek als ik zeg dat het een onvergetelijke dag is geworden, die we niet snel zullen vergeten.’

Steijn zegt – net iets te hard – tegen Edje: ‘Beetje moeilijk, hè, om een onvergetelijke dag te vergeten.’

En dat levert een nieuw lachsalvo en een boze blik van de meester op. Maar Gertie trekt zich daar allemaal niks van aan. Deze dag zal ze echt nooit meer vergeten. Dat is wel duidelijk.

12 De nieuwe buren

Het is de woensdagmiddag voor de zomervakantie. Gertie heeft haar laatste rapport gekregen en gaat na school nog even bij Huupie en de andere opa's langs. Natuurlijk is ze over naar groep zes.

'Een zesjarige in groep zes, dat hebben we nog nooit meegemaakt,' had meester Jean-Pierre gezegd. Hij wist vast niet meer dat hij bijna hetzelfde had gezegd aan het begin van het schooljaar. Maar Gertie wist het nog precies.

Er wordt door de opa's nog steeds gezucht. Dat hoort er kennelijk bij als je ouder wordt. Gertie kan niet anders dan die conclusie trekken.

'Is het schooljaar alweer bijna voorbij? Wat vliegt de tijd. Het lijkt wel of de tijd steeds sneller gaat,' moppert meneer Boerman.

Huupie moet erom lachen. 'Welnee, man,' zegt hij, 'dat komt doordat je met de jaren steeds langzamer wordt. Dan lijkt het alsof de tijd sneller gaat.'

De hele groep barst in lachen uit en Gertie lacht vrolijk mee. Meneer Boerman is altijd zo ernstig en somber, het is maar goed dat Huupie anders in elkaar zit. Die probeert er tenminste nog iets grappigs van te maken.

'Is dat echt zo, dat je langzamer wordt als je ouder wordt?' vraagt Gertie.

'Ja. En je wordt ook kleiner en vergeetachtiger en stijver.' Is het antwoord.

Tjonge, denkt Gertie, het wordt er daardoor niet leuker op.

'Maar je hebt tenminste wel tijd om leuke dingen te doen,' zegt ze. 'Je moet niks meer, je hoeft niet op tijd op te staan, je maakt zelf wel uit hoe laat je naar bed gaat, als je geen zin hebt, blijf je lekker thuis om een boekje te lezen. Mij lijkt het wel wat.'

'Ik zou zo met je ruilen. De jeugd van tegenwoordig heeft toch maar een luizenleventje ... '

Maar Gertie laat meneer Boerman niet eens uitpraten. 'O ja?' roept ze. 'En al dat huiswerk dan, en je kamer opruimen, en dat je altijd naar je ouders moet luisteren en op tijd naar bed moet gaan en je bordje leeg moet eten en altijd met twee woorden moet spreken? Alsof dat allemaal zo'n lolletje is.'

Even is het stil. Zo'n uitbarsting zijn de opa's van Gertie niet gewend.

'Ze krijgt praatjes,' durft er eentje te fluisteren.

De mannen schateren het uit.

Als Gertie haar handen in haar zij zet en verontwaardigd roept dat zij ook nog al die opa's aan het werk moet zetten, is er geen houden meer aan. Er barst een lachsalvo los. De opa's maken een enorm kabaal. De een houdt met zijn handen zijn buik vast die schudt van het lachen, de ander haalt z'n zakdoek tevoorschijn om de lachtranen af te vegen, en nummer drie krijgt spontaan de hik. Het is zo'n komisch gezicht dat Gertie wel mee moet gaan lachen. Het duurt wel vijf minuten voordat iedereen weer wat rustig is geworden.

'Aargh,' kreunt meneer Boerman. 'Ik ben te oud om te lachen.'

Huupie ziet dat helemaal anders. 'Man, je bent nooit te oud om te lachen,' zegt hij. 'Zolang er nog iets te lachen valt, ben je een gelukkig mens. Toch, Gertie?'

Gertie kijkt hoofdschuddend rond. 'Die opa's van tegenwoordig ...' zegt ze.

Als ze naar huis loopt, met een hoop eurootjes rapportgeld in haar broekzak, moet ze opnieuw denken aan de opmerking van meneer Boerman. Wat kan die man mopperen, zeg! En toch is hij ook heel aardig. Luc heeft haar vorige week uitgelegd dat er in de wereld twee soorten mensen zijn: optimisten en pessimisten. Hij heeft het Gertie uitgelegd door een glas voor de helft te vullen met water.

'Wat zie je?'

'Een glas met water.'

'Kijk eens goed. Wat zie je?'

Gertie kijkt nog eens. 'Pap, ik weet niet wat jij ziet, maar ik zie nog steeds een glas met water. Nou ja, een glas voor de helft gevuld met water.'

Luc grinnikt. Hij legt uit dat sommige mensen een half*vol* glas zien: 'Die noemen we optimisten. Die zien de voordelen: een half glas is nog altijd beter dan een leeg glas.'

'En wat zien anderen dan?'

'Die zien een half*leeg* glas: minder dan een vol glas. Die mensen noemen we pessimisten.'

Gertie heeft daar, samen met Luc, lang over nagedacht. Luc vond zichzelf een echte optimist. Maar Gertie is niet zo zeker van haar zaak. Is zij een optimist of een pessimist? Ze kwam tot de conclusie dat ze van allebei wat is: soms ziet ze – bij wijze van spreken – halflege glazen, soms halfvolle. 'Ik zag gewoon een glas voor de helft gevuld met water. Dus ik ben een halvist,' besloot ze.

Gertie heeft honger. Gelukkig is het woensdagmiddag. En dan is het vaste prik: mama thuis met lekkere, verse broodjes. En het is heerlijk weer, misschien kunnen ze wel buiten eten. Bij de gedachte aan dat vooruitzicht begint Gertie te huppelen. Als ze haar straat binnenhuppelt, ziet ze een grote vrachtwagen voor het huis staan.

Van Ketelen nv, internationale verhuizers staat erop.

'Ze zijn er ...' mompelt Gertie zacht, 'de nieuwe buren. O jee, o jee, als het nu maar geen grassprietjesknippers zijn!'

Wat had Huupie ook al weer verteld? Er komt een mevrouw wonen die vroeger ook in deze stad is opgegroeid. Ze heeft jarenlang in Australië gewoond en komt nu weer terug in haar geboortestad wonen, samen met haar zoon van tien.

Jammer, denkt Gertie, waarom geen dochter van een jaar of zeven? Jongens van tien? Nee, dank je wel, die heeft ze genoeg om zich heen tegenwoordig.

Nieuwsgierig kijkt ze naar de vrachtauto. Mannen lopen in en uit om spullen het huis in te dragen. Gertie blijft even staan. Het is niet veel wat er in de vrachtwagen staat. Zouden ze al bijna klaar zijn? Zouden de nieuwe mensen er al zijn? Ze werpt een blik door het voorraam. Niks te zien.

In de tuin hoort Gertie stemmen. Allereerst de stem van Mar, maar ook een onbekende vrouwenstem. Gertie luistert aandachtig. Het is duidelijk dat beide vrouwen veel plezier hebben.

'Hoe bestaat het?'

'Echt wat je noemt een kleine wereld!'

'Wat vind ik dit leuk, Mar!'

'Vertel, hoe is het met je?'

Gertie leunt met haar oor tegen de tuinpoort. Ze weet echt niet wie dit is. Tijd voor actie dus! Want als Gertie nieuwsgierig is, dan is Gertie nieuwsgierig.

'Hé, liefje!' Mar zit samen met de onbekende mevrouw op het bankje in het zonnetje. 'Kom eens hier, ik wil je heel graag voorstellen aan mijn vroegere schoolvriendinnetje Steffie. Steffie, dit is mijn jongste dochter Gertie.'

'Dag, Gertie!' Steffie staat op en schudt uitbundig Gerties hand. 'Wat een eer om een dochter van Mar van Dijk te ontmoeten. Ik ben Steffie, jullie nieuwe buurvrouw.'

Onder het handen schudden schudt Steffies enorme rode krullenbol hevig mee.

'Wat ben jij mooi ...' het is eruit voordat Gertie het in de gaten heeft. En prompt krijgt ze een rood hoofd. Wat flapt ze er nu weer uit?

Maar Steffie is juist heel blij met het complimentje.

'Dank je wel, lieverd. Wat lief dat je dat zegt. Weet je wat ze zeggen van meisjes met rode haren?'

Gertie schudt haar hoofd van nee.

'Die kunnen kussen ... dat is niet mis!'

Een schaterlach volgt. Mar lacht uitbundig mee.

Jeetje, denkt Gertie, wat een vrolijkheid om ons heen.

'Ongelofelijk, nu worden we buren. We hebben elkaar misschien wel vijfentwintig jaar niet gezien, maar ik herkende Steffie meteen.'

'En ik jou trouwens ook, je bent geen haar veranderd, Mar.'

Verwonderd kijkt Gertie naar beide vrouwen. Hoe kan iemand in vijfentwintig jaar niet veranderen? De laatste keer dat ze elkaar gezien moeten hebben, waren ze allebei misschien twaalf of dertien jaar. Dan zie je er heus wel anders uit. Hoop ik tenminste, denkt Gertie, hopelijk ben ik over vijfentwintig jaar toch wat langer.

'Mam, heb je geen broodjes gehaald?' Gertie kijkt door de tuindeur naar binnen. Geen broodjes op het aanrecht en de tafel is ook niet gedekt. 'Mahaam,' zeurt ze, maar haar moeder heeft het veel te druk met praten.

Mmm, dat was niet bepaald wat Gertie in gedachten had op de vrije woensdagmiddag, maar ze ziet ook wel dat Mar het heel erg naar haar zin heeft.

Had ik maar zo'n goede vriendin, schiet het door Gertie heen. De meisjes in haar klas zijn met heel andere dingen bezig. Met jongens, bijvoorbeeld. Gertie rolt met haar ogen. Wat is daar nu interessant aan? Wat kun je nu met een jongen? Die doen alleen maar stoer, maar dat zijn ze helemaal niet. Watjes zijn het.

Ze besmeert haar boterham lekker dik met pindakaas en doet er ook nog eens een grote klodder jam op. Ze weet heus wel dat ze eerst een gezonde boterham moet eten, maar haar moeder zal niet boos worden: die heeft het nu toch veel te druk. Gertie neemt haar boterhammen en een beker melk mee naar buiten.

'Ik ben in de hut, mama,' zegt Gertie, maar de kwebbeltantes horen haar niet eens. Ze zitten lekker met een kop koffie in de zon te genieten van hun herontdekte vriendschap en doen een poging om het wereldrecord vijfentwintig jaar bijpraten te verbeteren.

13 Betrapt!

Gertie is al een tijdje niet in de hut geweest. De afgelopen weken heeft het behoorlijk geregend en Gertie had het bovendien erg druk met de opa's. In de hut is het nogal rommelig en het ruikt er een beetje muf. Gelukkig schijnt vanmiddag de zon en kan Gertie de boel wat gaan opruimen. Ze schuift wat spullen aan de kant, klopt de deken op het bankje uit en rangschikt de kussentjes. Haar lunch staat op het tafeltje. Bij de nieuwe buren hoort ze van alles. Een man loopt te fluiten, en een ander te vloeken. Ze hoort hoe mensen de trap op en af lopen. Soms snel, soms heel langzaam, met af en toe wat gemopper. Het is wel even wennen, na al die maanden van rust. Alleen de laatste twee weken hoorde ze af en toe wat. Dan waren de schilders geweest en de mensen van de parketvloer. En nu dus de verhuizers.

Hé, bedenkt ze, zou Huupie weten dat de nieuwe mensen vandaag komen?

Ze stopt het laatste stukje boterham in haar mond en wrijft de kruimels van haar handen af. Gewoon lekker op de grond. Ze moet er een beetje om grinniken.

In haar eigen hut mag ze lekker doen wat ze zelf wil. Vanmiddag dus poetsen! Maar eerst gaat ze kijken wat er bij de buren allemaal gebeurt. Ze pakt haar verrekijker uit het kastje onder de bank. Eerst kijkt ze naar Mar en Steffie.

Mar houdt de thermoskan omhoog. 'Wil je nog koffie?' lijkt ze te vragen. Maar Steffie staat op en ze wijst naar haar huis.

Ze zal wel weer aan het werk moeten, denkt Gertie.

Steffie zwaait nog even naar de hut, maar Gertie duikt snel onder het raam. Stel je voor dat Steffie heeft gezien dat Gertie haar zat te bespioneren? Al snel hoort ze Steffies stem in het buurhuis. Gertie zoekt met de verrekijker, kan ze haar ook zien? O ja, daar is ze, in de keuken. Ze praat met een van de verhuizers. Hoeveel zouden er rondlopen? Gertie probeert ze te tellen. Ze kijkt door haar verrekijker. In de tuin is niemand, het is er een behoorlijk rommeltje. Stapels verhuisdozen en verpakkingsspul op een hoop gegooid. In de keuken had ze Steffie gezien met verhuismeneer nummer een. In de woonkamer staan er twee, met allebei een petje op. Ze drinken koffie. Mannetje nummer vier ziet ze in de grote slaapkamer. Hij is een kast aan het opzetten. Zou dat de slaapkamer van Steffie zijn? Door het raam van de kleine slaapkamer aan de achterkant kan ze niks zien. En op zolder zal ook wel niks te zien zijn, daar zit ook maar een heel klein raampje. Hé, wacht eens, maar uit dat raampje steekt wel een hoofd. Met rode krullen. En met een … verrekijker. En die verrekijker kijkt naar haar verrekijker. Jeetje, iemand kijkt naar haar. Gertie duikt voor de tweede keer onder het raam. Betrapt! Ze krijgt er zowaar een rode kleur van.

Maar het duurt niet lang voordat de nieuwsgierigheid het wint en Gertie opnieuw probeert te kijken. Niks meer te zien. Raampje dicht, krullenkop weg. Snel gaat ze alle andere ramen langs. *Nada.* Geen verhuismannen, geen Steffie, geen rode krullenbol. Vreemd, waar is iedereen? En wie zat zo naar haar te kijken? Dat zal vast die zoon van Steffie zijn geweest. Net zo'n krullen als z'n moeder. Hoe durft hij?

Plotseling schrikt Gertie op. Er wordt aan haar hut geklopt, het zal toch niet die …

Maar nee, het is Mar.

'Hé, meisje, heb je al gegeten?'

'Ja, jij zat toch zo te kletsen.' Het komt er kattiger uit dan ze eigenlijk bedoelt. Mar hoort het ook en trekt haar wenkbrauwen omhoog.

'Pardon? Waar heb ik dit aan verdiend?'

'Sorry,' mompelt Gertie, 'maar het is wel zo.'

'Ja, het is wel zo, maar dan hoef je nog niet zo kattig te doen. Ik heb hartstikke leuk zitten vertellen met Steffie. Wat een verrassing. Wacht maar eens tot dat ik dat tegen mijn moeder vertel, die zal niet weten wat ze hoort.'

'Kent oma Jozien die Steffie van jou dan ook?'

'Natuurlijk. We hebben vanaf de kleuterschool jaren bij elkaar in de klas gezeten. We waren dikke vriendinnen.'

'En al die jaren hebben jullie niks meer van elkaar gehoord? Dat is stom. Als ik een heel goede vriendin had, zou ik haar nooit meer uit het oog verliezen.'

'Tja,' mompelt Mar, 'zo gaan die dingen. Op die leeftijd verander je allemaal, het komt voor dat je uit elkaar groeit.'

Gertie schudt haar hoofd.

'Ik vind dat stom. Als ik een goede vriendin had, zou ik altijd alles samen doen en zou het nooit overgaan. Dat weet ik heel zeker. Je moet zuinig zijn op vriendschap. Zoveel kom je er niet tegen in het leven.'

'Wat een wijsheid voor zo'n ukkie.'

'Ik mag dan wel een ukkie zijn, maar ik heb wel gelijk.'

'Je hebt gelijk, schat, er kunnen nooit genoeg mensen zijn die ...'

'...Van je houden,' vult Gertie aan. Dit verhaal heeft ze al vaker gehoord.

Mar knikt instemmend.

'Mama, weet Huupie al dat de nieuwe buren er zijn?
'Dat weet ik eigenlijk niet.'
'Mag ik het hem gaan vertellen?'
'Tuurlijk. Misschien wil hij straks wel een kop koffie komen drinken. Het is heerlijk, zo buiten in het zonnetje. Dan kan hij meteen komen kennismaken.'
'Is goed. Dan ga ik daarna de hut wat opruimen.'
'Ja, dat is wel nodig, hè?' Mar kijkt om zich heen naar de rommel. 'En toch is het hier nog steeds gezellig,' lacht ze goedkeurend, 'dat was een goed plan van jullie, die hut.'

En zo komt het dat Gertie die middag voor de tweede keer bij Huupie op bezoek gaat. Vlak voordat ze wil oversteken, heeft ze opeens het gevoel dat er naar haar gekeken wordt. Opnieuw. Ze draait zich om, maar ze ziet niks. Ze haalt haar schouders op en loopt door. Maar weer is er dat gevoel. Ze blijft even stilstaan en draait zich dan met een ruk om. Nog net ziet ze een rode haardos wegduiken achter de struikjes. Het zal toch niet …
Woedend is ze. Zit die lummel nu weer naar haar te kijken? Met grote stappen stevent ze op het struikgewas af. Ze duwt de bladeren opzij en daar zit hij: de rode krullenbol die ze net ook op de zolder heeft gezien.
'Wat moet dat?' vraagt ze op barse toon. 'Heb jij niks anders te doen? Dozen uitpakken of zo?'
De jongen kan niks anders doen dan tevoorschijn komen. Hij zit op zijn hurken in de struiken en komt langzaam omhoog. Hij is lang, heel erg lang, er komt bijna geen einde aan. Hij heeft flinke sproeten in zijn gezicht, en zijn wangen zijn erg rood geworden.

'Betrapt,' zegt hij.

Gertie zegt niks terug.

'Hoi,' zegt hij dan.

Gertie zegt niks terug.

'Hoi,' zegt de jongen nog eens en hij steekt zijn hand uit. 'Giel is de naam.' Gertie kijkt naar zijn uitgestoken hand.

'Waarom bespioneer jij mij?' Ze maakt geen aanstalten om hem een hand te geven.

Giel begint te grinniken. 'Laten we het op nieuwsgierigheid houden,' geeft hij als antwoord en hij trekt zijn hand terug. 'Waarom bespioneer jij mij?' vraagt hij op zijn beurt. Hij praat een beetje raar Nederlands. Het zal wel een beetje Australisch zijn. Gertie voelt dat haar wangen opnieuw kleuren. Geïrriteerd schudt ze met haar hoofd. Maar dat helpt niet echt. 'Laten we het op nieuwsgierigheid houden,' antwoordt ze zo luchtig als maar mogelijk is.

Giel grinnikt weer. Niet alleen zijn mond lacht, maar z'n ogen lachen mee.

Gertie moet ook lachen.

'Je lijkt op je moeder,' zegt ze.

'Dat zegt iedereen. En jij?'

'O, ik ben duidelijk een mix. Van alles wat. Maar het meeste is gewoon van mezelf.'

'Hoe heet je?'

'Gertie.'

'Wat ga je doen, Gertie?'

'Ik ga tegen Huupie vertellen dat jullie er zijn.'

'Wie is Huupie?'

'Huupie is mijn buurman. Eh, hij wás mijn buurman. Hij woonde in het huis waar jullie in gaan wonen. Nu is hij mijn opa.'

'Wonderlijk verhaal,' vindt Giel, 'mag ik met je mee? Is het ver? Denk je dat hij dat goed vindt? Is hij aardig? Denk je dat ik hem ook aardig vindt?'

Gertie kijkt verbaasd opzij. 'Is het vragenuurtje begonnen?' vraagt ze.

'Tja,' zegt Giel, 'als je niks vraagt dan krijg je niks te weten, toch?'

'Gelijk heb je,' antwoordt Gertie, 'dat zeg ik ook altijd. Weet je dat mijn moeder en jouw moeder elkaar kennen van vroeger?'

'Ik heb het gehoord. De wereld is klein, zeiden ze. Maar ik weet wel beter. De wereld is groot, gigagroot.'

Gertie grinnikt. 'Hé, dat is grappig, dat jij gigagroot zegt. Weet je wat mijn bijnaam is? Dat raad je nooit.'

'Laat me denken, laat me raden … Denk, denk, denk, denk, denk. Je heet Gertie, je bent – ahum – niet erg groot – ahum – en je vindt het cool dat ik giga zeg… een en een is twee en jouw bijnaam is … GigaGertie.'

…

'Gertie, je mond staat nog open.'

…

'Pas op dat er geen vlieg naar binnen vliegt.'

…

'Denk je aan de klokken van Rome? Als die gaan slaan, blijft je gezicht zo staan.'

'Giel …' fluistert Gertie en haar stem klinkt een beetje schor. 'Mag ik jou iets heel raars vragen?'

'Rare vragen bestaan niet, dus doe maar.'

Gertie slikt even. Dat is precies wat zij ook altijd zegt. Het is gewoon eng hoeveel zij op elkaar lijken.

En dan stelt ze haar vraag.

'Geloof jij in vriendschap op het eerste gezicht?'

Giel kijkt Gertie aan. Hij is helemaal niet verrast, helemaal niet verbaasd.

'Nee.'

'Niet?'

'Maar wel op het tweede gezicht,' grijnst hij.